D1445712

Éditions France Loisirs,
123, boulevard de Grenelle, Paris
www.franceloisirs.com

Dépôt légal : juillet 2001
ISBN : 2-7441-4501-7
N° d'éditeur : 35606
Imprimé et relié par Pollina s.a., 85400 Luçon - n° L84601

TRESSES ET BRACELETS BRÉSILIENS

◆

PERLES DE ROCAILLE

◆

SABLE COLORÉ

50 modèles pour toute l'année

ÉDITIONS FRANCE LOISIRS

TRESSES
ET BRACELETS BRÉSILIENS

Florence Bellot

Pour commencer

Les Wraps (appelés aussi tresses) viennent de la culture des Indiens d'Amérique. Lors des parades guerrières, les Apaches, les Cheyennes et les Sioux portaient ces tresses multicolores dans les cheveux. Les wraps ont ensuite été quelque peu oubliés. Ils retrouvent aujourd'hui un nouvel essor chez les jeunes européens.

Vous trouverez ici toutes les explications de la technique du Wraps pour faire des tresses, bien sûr, mais aussi des bracelets, des cordons à lunettes, des porte-clés... Vous découvrirez aussi de nombreuses idées pour réaliser des bracelets brésiliens et des bracelets en macramé.

Matériel

Fils utilisés

Pour les wraps, tous les fils de coton conviennent, quelle que soit leur épaisseur. On peut même employer des fils de coton à tricoter. On peut aussi mélanger des fils de diamètres différents sur un même bracelet.

Les wraps seront simplement plus ou moins gros mais ça ne modifie en rien leur réalisation. Pour les bracelets brésiliens, mieux vaut employer du coton perlé. En mercerie, on trouve une infinité de couleurs, ainsi que des fils dégradés et des fils brillants.

Bon à savoir

70 cm de fils donnent un bracelet d'environ 20 cm sans les finitions.

Pour simplifier les explications

Dans ce livre, nous appelons *fils fixes*, les fils qui restent immobiles durant le tissage et *fil mobile*, le fil qui s'enroule autour des fils fixes et avec lequel on tisse.

Tresse à 3 brins

Pour faire une tresse à 3 brins, prendre 3 fils ou un nombre de fils multiple de trois.

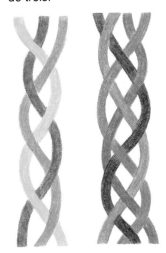

Tresse à 4 fils

Pour une tresse à 4 brins, prendre 4 fils ou un nombre de fils multiple de quatre.

Autre matériel

Prévoir une paire de ciseaux et une épingle à nourrice. Pour les finitions, toutes sortes de perles peuvent être utilisées : perles de rocaille, perles en céramique, en bois... Pour les bracelets en macramé ou les tresses, prévoir des lanières de cuir, du raphia ou de la cordelette.

Techniques de base

Le bracelet standard a 4 couleurs avec 2 fils de chaque couleur (soit 8 fils). Choisir des couleurs qui s'harmonisent pour avoir un maximum de combinaisons.

Pour commencer

Démarrer un bracelet

Première technique

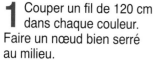

1 Couper un fil de 120 cm dans chaque couleur. Faire un nœud bien serré au milieu.

2 Faire une tresse de 2,5 cm de long environ. La terminer par un nœud.

3 La plier en deux pour former une boucle et refaire un nœud en essayant de superposer ce troisième nœud sur les deux autres pour les masquer. On peut aussi faire une boucle simple sans tresse.

4 Passer l'épingle à nourrice dans la boucle et la fixer sur un jean. Commencer le bracelet.

Deuxième technique

1 Couper 70 cm de chaque fil. Faire un nœud à environ 10 cm d'une des extrémités. Tresser cette partie et l'arrêter avec un nœud.

Terminer un bracelet

1 Bien serrer les derniers tours de l'enroulement.

2 Passer l'épingle à nourrice à travers la tresse ou le nœud et la fixer sur un jean. Commencer le bracelet.

3 Pour les bracelets commencés par une boucle, séparer les fils en deux groupes et faire deux tresses. Pour les bracelets commencés par une tresse, terminer en formant une tresse avec tous les fils.

2 Faire un double nœud avec le dernier fil mobile et un fil fixe de la même couleur. Veiller à ne pas lâcher les derniers tours de l'enroulement en faisant les nœuds.

Astuce
Pour varier, toutes les combinaisons sont possibles : les bracelets à 2 couleurs sont aussi très beaux. Attention à prendre au moins 8 fils : 4 de chaque couleur ou pour en privilégier une : 6 + 2.

Conseil
Pour faire un très gros bracelet, on peut soit utiliser beaucoup de fils sur 4 couleurs, soit choisir un grand nombre de couleurs.

11

Wraps simple

1 Commencer le bracelet suivant la technique choisie page 10. Placer les fils les uns à côté des autres dans n'importe quel ordre.

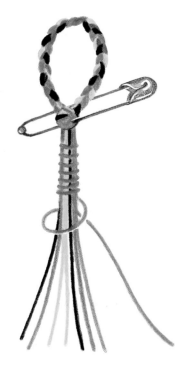

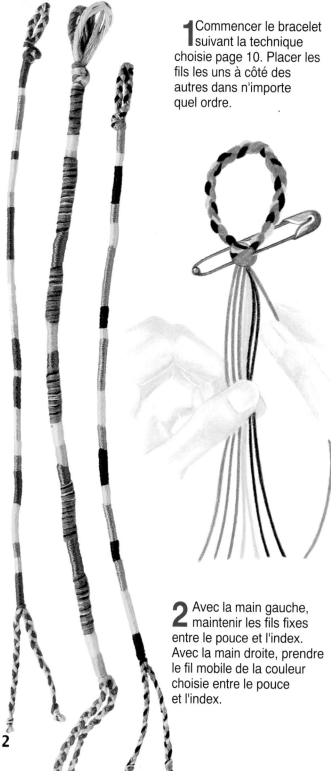

3 Avec la main droite, enrouler plusieurs fois le fil mobile autour des fils fixes. Faire plusieurs tours en serrant bien. Continuer avec cette couleur pour obtenir la longueur désirée.

Astuce
Pour les gauchers, tenir les fils fixes dans la main droite et le fil mobile de la couleur choisie dans la main gauche.

2 Avec la main gauche, maintenir les fils fixes entre le pouce et l'index. Avec la main droite, prendre le fil mobile de la couleur choisie entre le pouce et l'index.

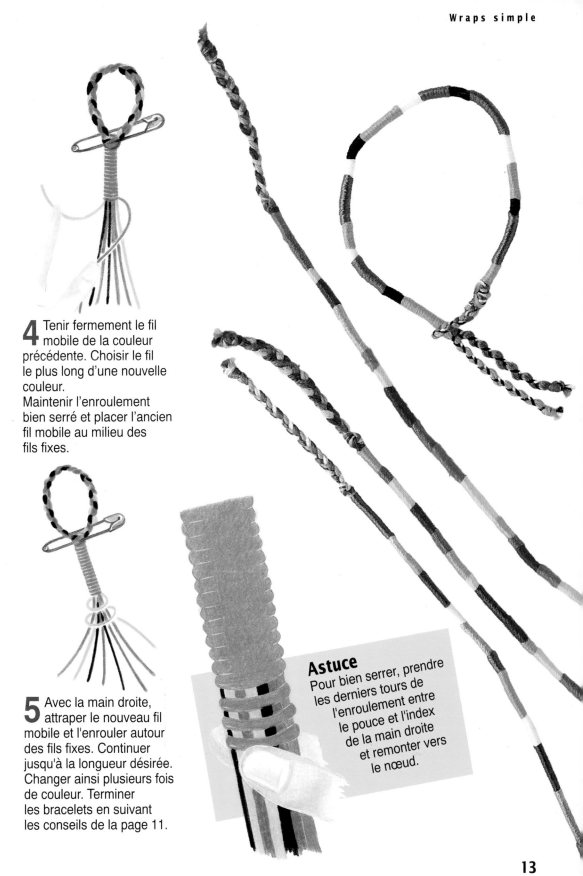

4 Tenir fermement le fil mobile de la couleur précédente. Choisir le fil le plus long d'une nouvelle couleur.
Maintenir l'enroulement bien serré et placer l'ancien fil mobile au milieu des fils fixes.

5 Avec la main droite, attraper le nouveau fil mobile et l'enrouler autour des fils fixes. Continuer jusqu'à la longueur désirée. Changer ainsi plusieurs fois de couleur. Terminer les bracelets en suivant les conseils de la page 11.

Astuce
Pour bien serrer, prendre les derniers tours de l'enroulement entre le pouce et l'index de la main droite et remonter vers le nœud.

Wraps doublé

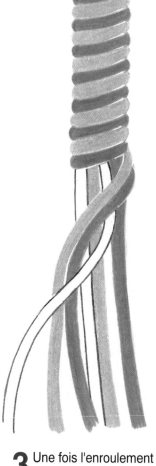

1 Commencer le bracelet suivant la technique choisie page 10.

2 Au moment d'un changement de couleur, prendre 2 fils mobiles de couleurs différentes au lieu d'un seul. Enrouler et serrer les 2 fils autour des fils fixes.

3 Une fois l'enroulement terminé, replacer ces 2 fils sur les fils fixes. Attraper un nouveau fil mobile et continuer l'enroulement en changeant régulièrement de couleur.

Astuces
Pour que le doublé soit réussi, choisir 2 fils de même diamètre, sinon le plus petit sera masqué par le plus gros lors de l'enroulement.
Sur le même principe, on peut réaliser des wraps triplés/quadruplés, etc.

Tortillons

Pour mettre en valeur le
fil qui s'entortille autour
de l'enroulement,
choisir un fil mobile
de couleur contrastée.

1 Commencer le bracelet
suivant la technique
choisie page 10 et procéder
comme pour un wraps
simple.

2 Au moment d'un
changement de couleur,
choisir le fil qui passera sur
l'enroulement et le mettre
de côté.

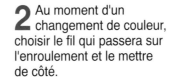

3 Prendre un fil mobile
d'une autre couleur
et l'enrouler.

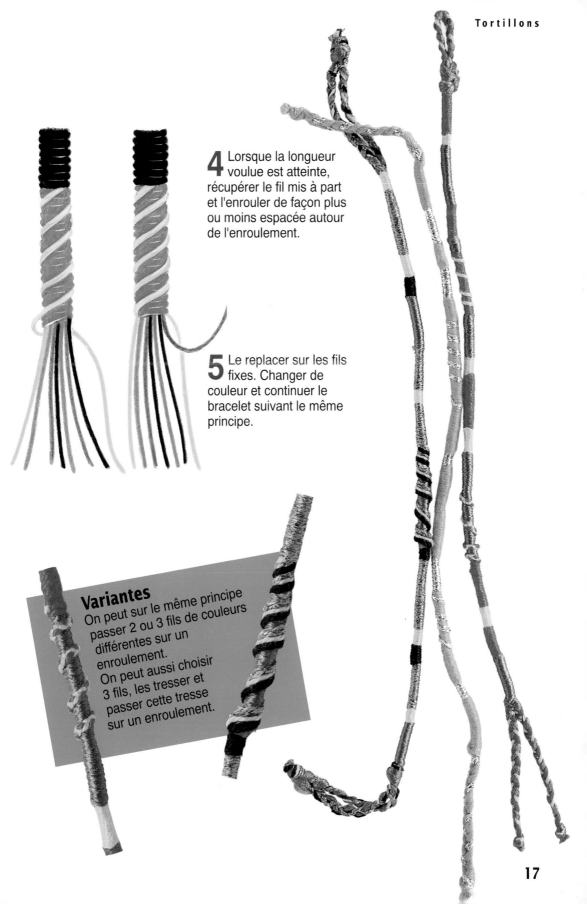

4 Lorsque la longueur voulue est atteinte, récupérer le fil mis à part et l'enrouler de façon plus ou moins espacée autour de l'enroulement.

5 Le replacer sur les fils fixes. Changer de couleur et continuer le bracelet suivant le même principe.

Variantes
On peut sur le même principe passer 2 ou 3 fils de couleurs différentes sur un enroulement.
On peut aussi choisir 3 fils, les tresser et passer cette tresse sur un enroulement.

17

Fils sur le côté

Bracelet simple

1 Commencer le bracelet suivant la technique choisie page 10.

2 Choisir 2 fils de la même couleur ou de couleurs différentes. Les isoler. Prendre un nouveau fil mobile et faire un enroulement. Le terminer par un nœud.

3 Récupérer les 2 fils mis à part. Les replacer sur les fils fixes. Commencer l'enroulement avec un nouveau fil mobile et continuer le bracelet.

Bracelet avec des perles

Isoler 2 fils. Choisir un nouveau fil mobile et faire un enroulement. À la fin, faire un nœud avec ce fil mobile et un autre fil de la même couleur. L'enroulement reste bien serré et permet de garder les mains libres. Récupérer les 2 fils mis à part et enfiler quelques perles de rocaille sur chaque brin. Replacer ensuite ces 2 fils sur les fils fixes et continuer le bracelet.

Croisillons

1 Commencer le bracelet suivant la technique choisie page 10.

3 Récupérer les 2 fils mis à part. Les croiser plusieurs fois autour de l'enroulement. Les replacer ensuite sur les fils fixes. Changer de couleur et continuer le bracelet.

2 Choisir 2 fils de la même couleur ou de couleurs différentes et les isoler. Choisir un nouveau fil mobile et l'enrouler. À la fin, faire un nœud avec ce fil mobile et un autre fil de la même couleur.
L'enroulement reste bien serré et permet d'avoir les mains libres.

Astuce
Pour un effet recherché, utiliser 2 fils de couleurs différentes et contrastées pour former les croisillons.

Avec des perles

Poser des perles au début d'un bracelet

1 Enfiler 1 ou 2 perles avant de commencer à enrouler la première couleur. Les coincer au maximum sur le nœud qui ferme la boucle pour le masquer.

2 Former le premier enroulement avec le fil mobile de la couleur choisie et continuer le bracelet.

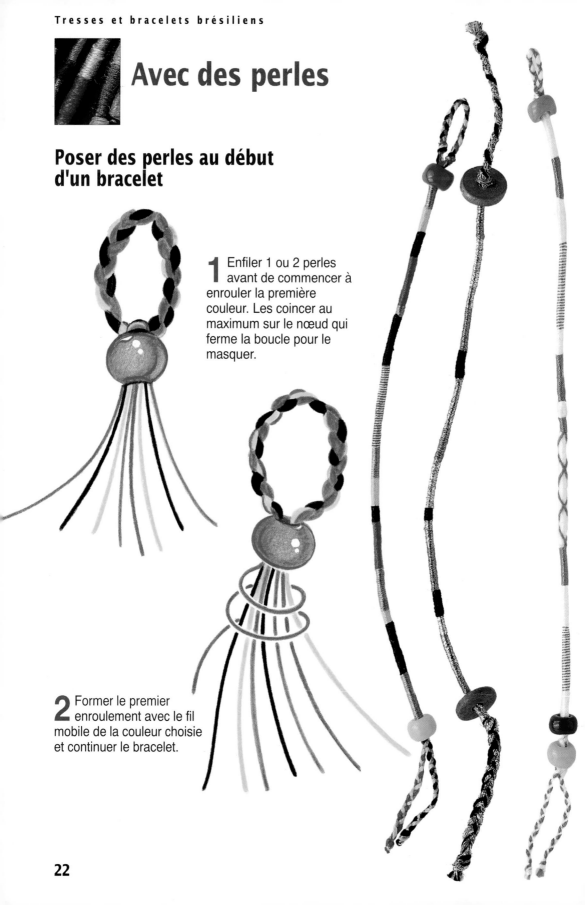

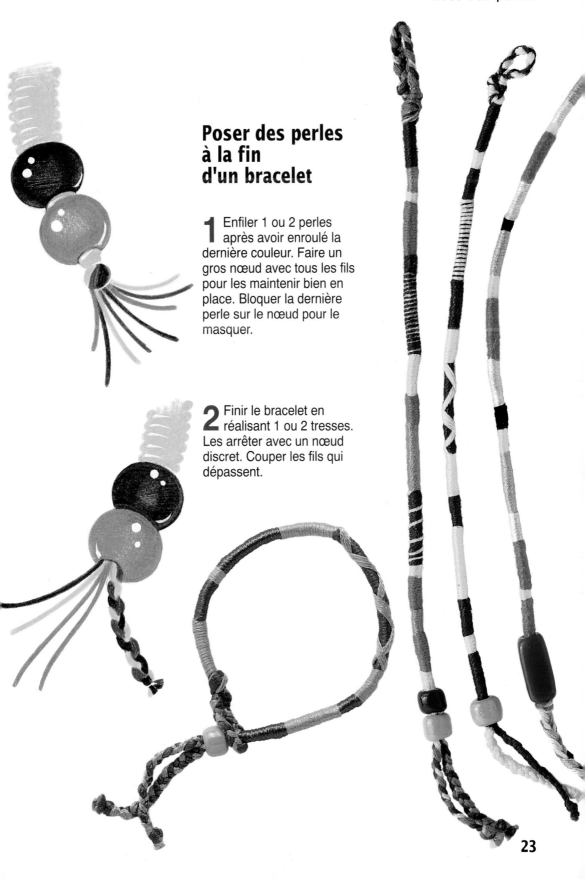

Poser des perles à la fin d'un bracelet

1 Enfiler 1 ou 2 perles après avoir enroulé la dernière couleur. Faire un gros nœud avec tous les fils pour les maintenir bien en place. Bloquer la dernière perle sur le nœud pour le masquer.

2 Finir le bracelet en réalisant 1 ou 2 tresses. Les arrêter avec un nœud discret. Couper les fils qui dépassent.

23

Pose dans les cheveux

Le Wraps est avant tout une technique pour décorer les cheveux. La mèche passe à l'intérieur de la tresse et le wraps devient solidaire des cheveux. En suivant bien les explications qui suivent et en vous étant entraîné en faisant des bracelets, vous réussirez à poser de jolies tresses colorées pour l'été.

1 Choisir une mèche de cheveux et égaliser la pointe aux ciseaux.

2 Découper un carré de bristol ou de carton fin d'environ 10 cm de côté. Découper une fente du bord au centre du carton. Glisser la mèche de cheveux dans cette fente pour l'isoler du reste de la chevelure. Placer le carton à la racine des cheveux.

3 Bien attacher les autres cheveux avec des pinces, des élastiques, etc., pour pouvoir tresser facilement.

4 Passer un peu de gel de la racine à la pointe des cheveux pour éviter que des fourches ne s'échappent. Pour faire 30 cm de wraps, prévoir des fils de 2 mètres et les plier en deux.

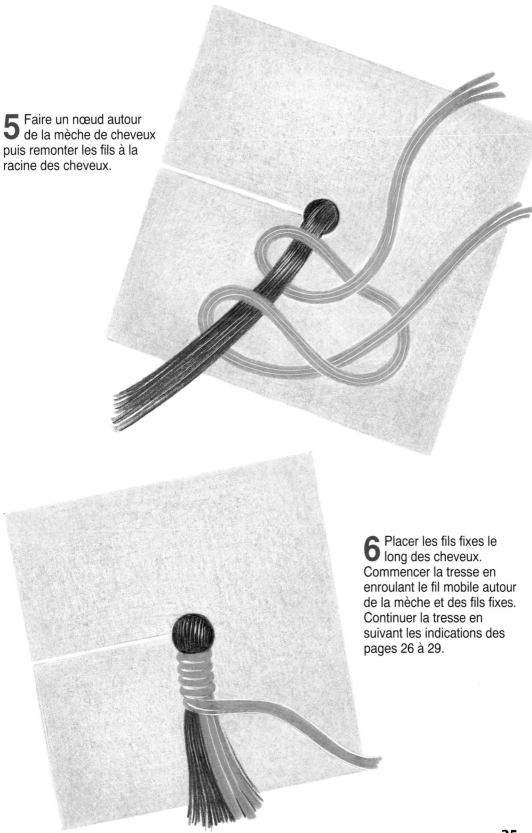

5 Faire un nœud autour de la mèche de cheveux puis remonter les fils à la racine des cheveux.

6 Placer les fils fixes le long des cheveux. Commencer la tresse en enroulant le fil mobile autour de la mèche et des fils fixes. Continuer la tresse en suivant les indications des pages 26 à 29.

Pose dans les cheveux

Wraps de la longueur des cheveux

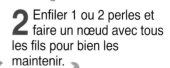

2 Enfiler 1 ou 2 perles et faire un nœud avec tous les fils pour bien les maintenir.

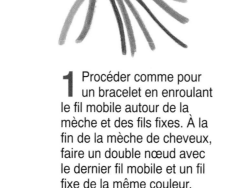

1 Procéder comme pour un bracelet en enroulant le fil mobile autour de la mèche et des fils fixes. À la fin de la mèche de cheveux, faire un double nœud avec le dernier fil mobile et un fil fixe de la même couleur.

3 Couper les fils qui dépassent en gardant environ 1 cm sous les perles.

Wraps plus long que les cheveux

1 À environ 1 cm de la fin de la mèche, changer de fil mobile et commencer l'enroulement avec la nouvelle couleur.

2 Poursuivre cette couleur encore plusieurs tours après la fin des cheveux. Changer de couleur.

3 Pour arrêter le wraps, faire un double nœud avec le dernier fil mobile et un fil fixe de la même couleur. Enfiler 1 ou 2 perles. Nouer tous les fils et couper les brins qui dépassent en gardant 1 cm sous les perles.

Pose dans les cheveux

Wraps plus court que les cheveux

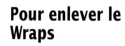

1 À la longueur désirée, faire un double nœud avec le dernier fil mobile et un fil fixe de la même couleur.

3 Enfiler 1 ou 2 perles au bout de la tresse et faire un nœud avec tous les fils pour bien les maintenir. Couper les fils en gardant environ 1 cm sous les perles.

Pour enlever le Wraps

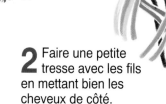

2 Faire une petite tresse avec les fils en mettant bien les cheveux de côté.

Couper les fils au-dessus de la tresse et dérouler !

Technique du brésilien

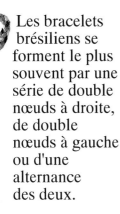

Les bracelets brésiliens se forment le plus souvent par une série de double nœuds à droite, de double nœuds à gauche ou d'une alternance des deux.

Nœud à droite

1 2 3 4 5 6

1 Placer les fils comme indiqué sur le schéma.

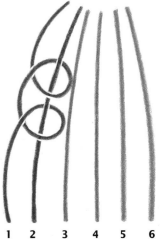

1 2 3 4 5 6

3 Le fil 1 fait un deuxième nœud sur le fil 2. Le tirer pour le placer à côté du premier nœud.

Position des fils

Commencer les bracelets en suivant les explications de la page 10 (démarrer un bracelet première technique) mais en utilisant des fils de 180 cm.

Conseil
Les 2 fils qui travaillent doivent toujours être bien tendus et les nœuds doivent être serrés toujours de la même façon.

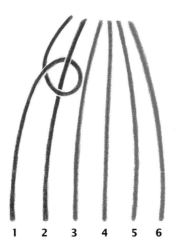

1 2 3 4 5 6

2 Avec le fil 1, former une boucle sur le fil 2. Tirer pour faire remonter le nœud. On obtient un nœud à droite.

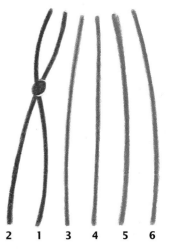

2 1 3 4 5 6

4 On obtient un double nœud à droite. Le fil 1 s'est déplacé vers la droite.

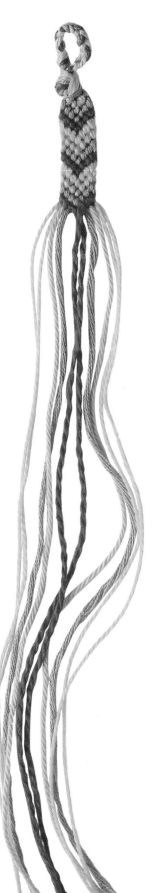

Nœud à gauche

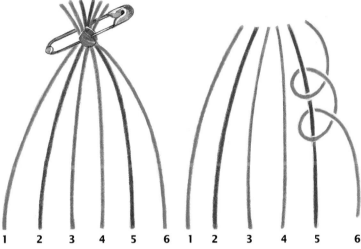

1 Placer les fils comme indiqué sur le schéma.

3 Le fil 6 fait un deuxième nœud sur le fil 5. Le tirer pour le placer à côté du premier nœud.

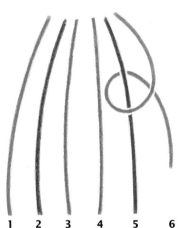

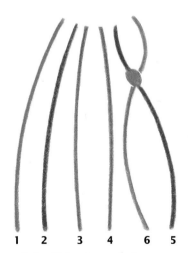

2 Avec le fil 6, former une boucle sur le fil 5. Tirer pour faire remonter le nœud. On obtient un nœud à gauche.

4 Le fil 6 est passé de droite à gauche et on obtient un double nœud à gauche.

31

Bracelet simple

Ce modèle se réalise par une série
de nœuds à droite.

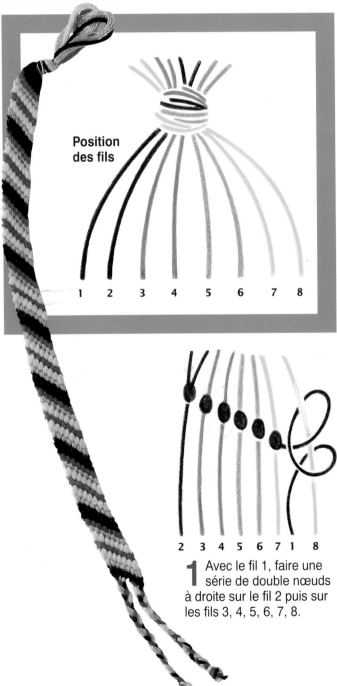

**Position
des fils**

| 1 | 2 | 3 | 4 | 5 | 6 | 7 | 8 |

| 2 | 3 | 4 | 5 | 6 | 7 | 8 | 1 |

2 Le fil 1 se retrouve
complètement à droite.
La première rangée est
faite. Avec le fil 2, faire un
double nœud à droite sur le
fil 3. Continuer à faire des
double nœuds à droite sur
les fils 4, 5, 6, 7, 8 et 1 pour
faire la deuxième rangée.

| 3 | 4 | 5 | 6 | 7 | 8 | 1 | 2 |

3 Avec le fil 3 de couleur
différente, faire un
double nœud à droite sur le
fil 4 puis sur les fils 5, 6, 7,
8, 1 et 2. Procéder de la
même manière avec tous
les fils pour retrouver la
position de départ des fils.
Continuer jusqu'à la
longueur désirée.

| 2 | 3 | 4 | 5 | 6 | 7 | 1 | 8 |

1 Avec le fil 1, faire une
série de double nœuds
à droite sur le fil 2 puis sur
les fils 3, 4, 5, 6, 7, 8.

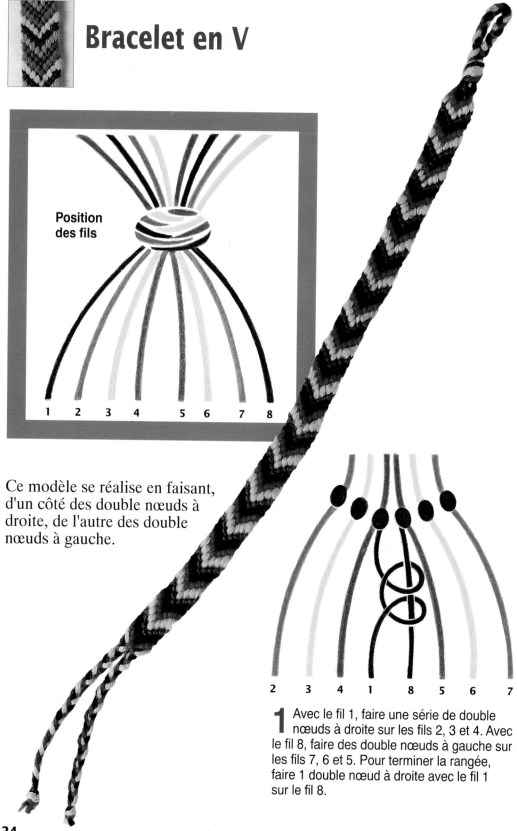

Bracelet en V

Position des fils

1 2 3 4 5 6 7 8

Ce modèle se réalise en faisant, d'un côté des double nœuds à droite, de l'autre des double nœuds à gauche.

2 3 4 1 8 5 6 7

1 Avec le fil 1, faire une série de double nœuds à droite sur les fils 2, 3 et 4. Avec le fil 8, faire des double nœuds à gauche sur les fils 7, 6 et 5. Pour terminer la rangée, faire 1 double nœud à droite avec le fil 1 sur le fil 8.

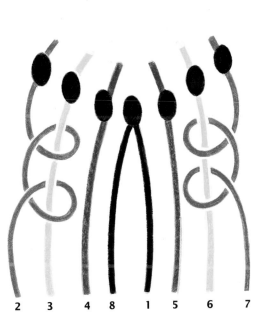

2 3 4 8 1 5 6 7

2 Avec le fil 2, faire une série de double nœuds à droite sur les fils 3, 4 et 8. Avec le fil 7, faire des double nœuds à gauche sur les fils 6, 5 et 1. Terminer la rangée par un double nœud à droite avec le fil 2 sur le fil 7.

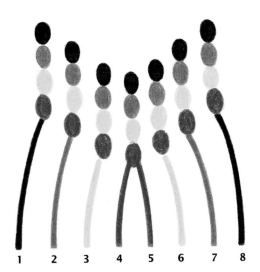

1 2 3 4 5 6 7 8

3 Continuer sur le même principe avec les fils 3 et 6 puis commencer une nouvelle rangée avec les fils 4 et 5 pour retrouver la position de départ des fils. Continuer le bracelet jusqu'à la longueur désirée.

Croix et losange

Commencer le bracelet en V. Alterner ensuite des croix et des losanges.

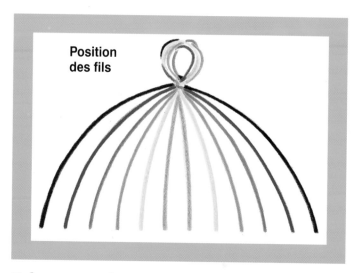

Position des fils

Faire une croix

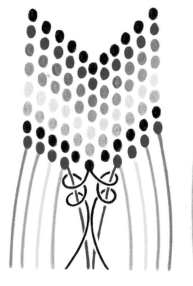

1 Commencer le bracelet en V. Faire un V avec les fils noirs. Les fils bleu foncé commencent un V. Au milieu, faire un double nœud avec les fils noirs sur les fils bleu foncé.

2 Les fils bleu clair commencent un V. Au milieu, faire un double nœud avec les fils noirs sur les fils bleu clair.

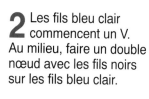

3 Les fils verts commencent un V. Au milieu, faire un double nœud avec les fils noirs sur les fils verts. Continuer sur le même principe avec les fils jaunes puis les fils orange.

Faire un losange

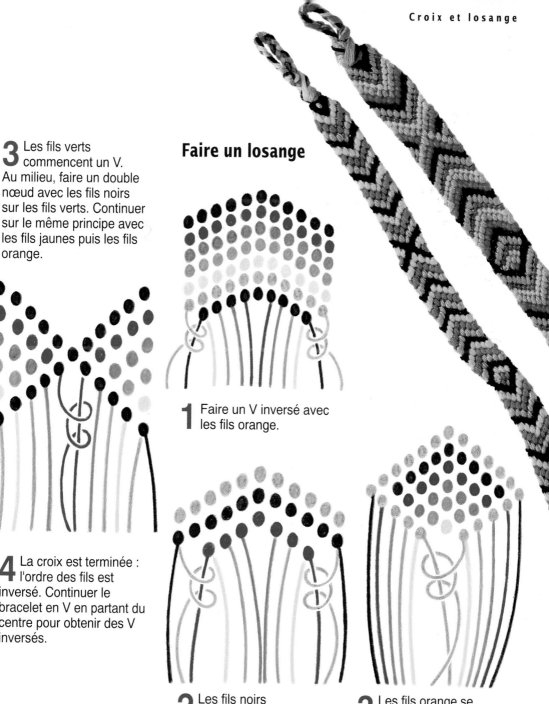

1 Faire un V inversé avec les fils orange.

4 La croix est terminée : l'ordre des fils est inversé. Continuer le bracelet en V en partant du centre pour obtenir des V inversés.

2 Les fils noirs commencent un V inversé. Arrivés aux fils orange, chaque fil orange fait un double nœud sur les fils noirs. Procéder de la même façon avec les fils bleu foncé, bleu clair, verts et jaunes.

3 Les fils orange se retrouvent au milieu. Faire un double nœud avec les deux fils orange. Le losange est terminé. L'angle des V est inversé. Les fils ont changé de sens. Reprendre un V avec les fils noirs.

Poisson

Cette technique est
un mélange de croix
et de losanges.

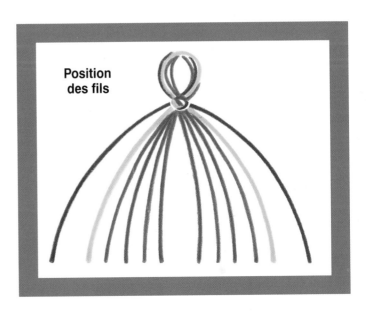

Position des fils

1 Commencer le bracelet en faisant des V inversés en partant des fils du centre. Faire un losange avec les fils roses. À la fin du losange, commencer un V avec les fils bleus. Arrivés au centre, faire des double nœuds avec les fils roses sur les fils bleus.

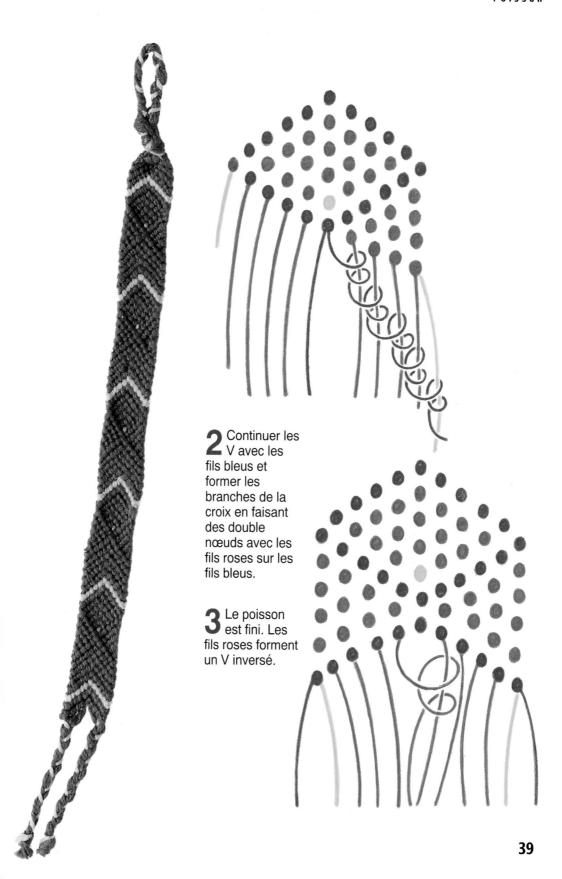

2 Continuer les V avec les fils bleus et former les branches de la croix en faisant des double nœuds avec les fils roses sur les fils bleus.

3 Le poisson est fini. Les fils roses forment un V inversé.

Petits pois

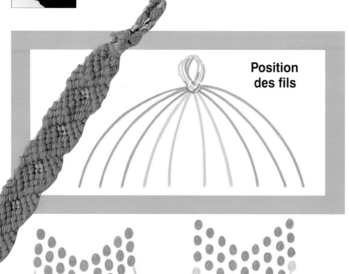

Position
des fils

5 Faire 2 double nœuds à droite sur les fils orange en suivant le schéma.

1 Former des V avec tous les fils bleus. Faire des double nœuds à droite et à gauche de chaque côté du bracelet avec les fils orange.

3 Continuer à faire des double nœuds avec les fils bleus sur les fils orange à droite puis à gauche.

6 Former 2 double nœuds à droite sur les fils orange en suivant le schéma.

2 Avec le fil bleu, faire un double nœud à droite sur les 2 fils orange. Procéder de la même façon sur le côté gauche.

4 Lorsque tous les fils bleus sont descendus, on retrouve l'ordre de départ mais les V sont inversés. Les fils orange sont placés au centre.

7 On obtient un petit pois orange au centre du bracelet.

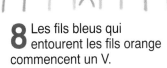

8 Les fils bleus qui entourent les fils orange commencent un V.

9 Continuer à former des V avec les 2 fils bleus suivants.

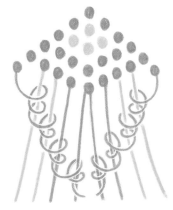

10 Terminer le V avec les 2 derniers fils bleus.

11 Les fils orange se retrouvent de chaque côté du bracelet comme à l'étape 1. Faire un double nœud à gauche avec les fils bleus du centre.

12 Former des demi-pois orange en réalisant des double nœuds à gauche et à droite de chaque côté du bracelet suivant le schéma. Continuer suivant le même principe.

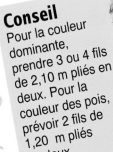

Conseil

Pour la couleur dominante, prendre 3 ou 4 fils de 2,10 m pliés en deux. Pour la couleur des pois, prévoir 2 fils de 1,20 m pliés en deux.

Idées-macramé

Voici des idées-
macramé à décliner
sur des fils de cuir, de
la cordelette, du
raphia ou toute autre
matière de votre
choix.

Bracelet plat

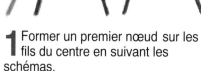

1 Former un premier nœud sur les fils du centre en suivant les schémas.

2 Faire un deuxième nœud en sens inverse en suivant les schémas. Continuer le bracelet en alternant les nœuds à chaque fois.

Astuce
Les lanières en cuir se vendent en brin d'1 m. Prévoir 1 brin plié en deux pour le fil central et 2 brins de même couleur pour les fils qui tissent donc au total 3 brins.

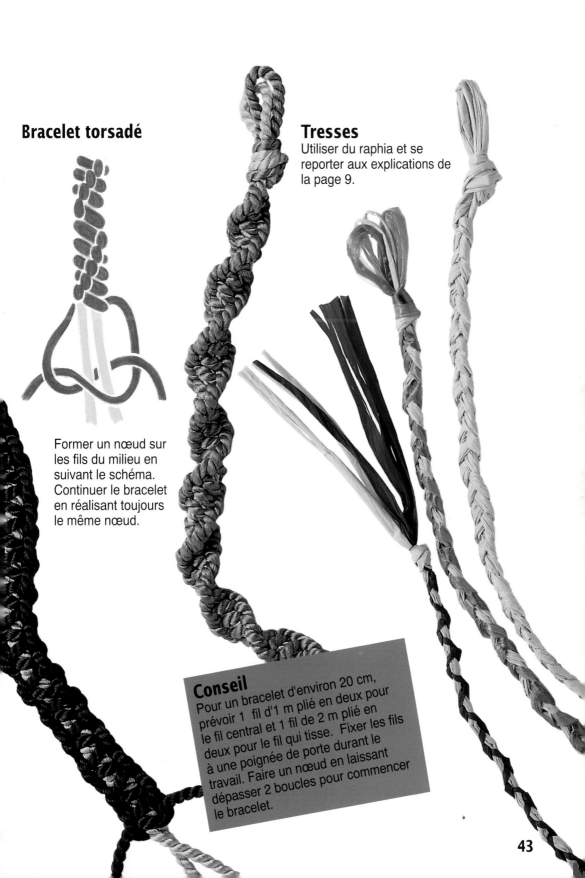

Bracelet torsadé

Tresses
Utiliser du raphia et se reporter aux explications de la page 9.

Former un nœud sur les fils du milieu en suivant le schéma. Continuer le bracelet en réalisant toujours le même nœud.

Conseil
Pour un bracelet d'environ 20 cm, prévoir 1 fil d'1 m plié en deux pour le fil central et 1 fil de 2 m plié en deux pour le fil qui tisse. Fixer les fils à une poignée de porte durant le travail. Faire un nœud en laissant dépasser 2 boucles pour commencer le bracelet.

Autres idées

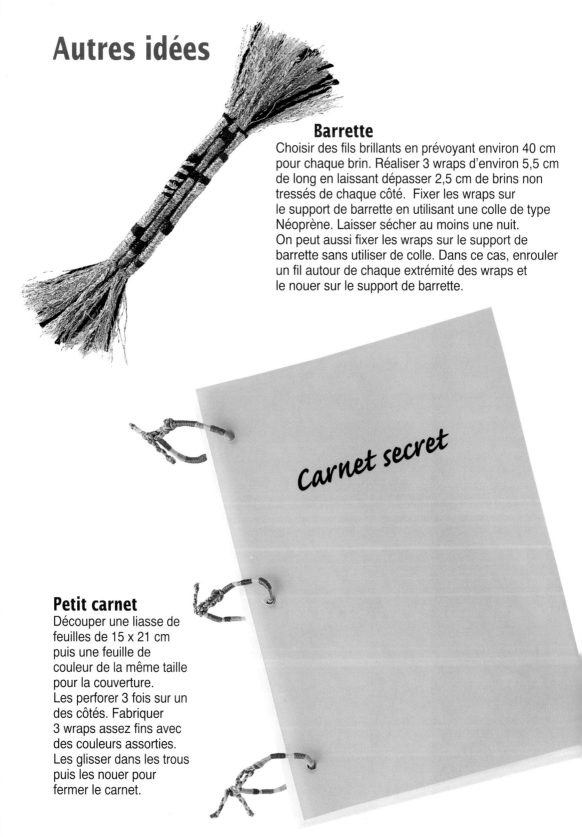

Barrette

Choisir des fils brillants en prévoyant environ 40 cm pour chaque brin. Réaliser 3 wraps d'environ 5,5 cm de long en laissant dépasser 2,5 cm de brins non tressés de chaque côté. Fixer les wraps sur le support de barrette en utilisant une colle de type Néoprène. Laisser sécher au moins une nuit. On peut aussi fixer les wraps sur le support de barrette sans utiliser de colle. Dans ce cas, enrouler un fil autour de chaque extrémité des wraps et le nouer sur le support de barrette.

Carnet secret

Petit carnet

Découper une liasse de feuilles de 15 x 21 cm puis une feuille de couleur de la même taille pour la couverture. Les perforer 3 fois sur un des côtés. Fabriquer 3 wraps assez fins avec des couleurs assorties. Les glisser dans les trous puis les nouer pour fermer le carnet.

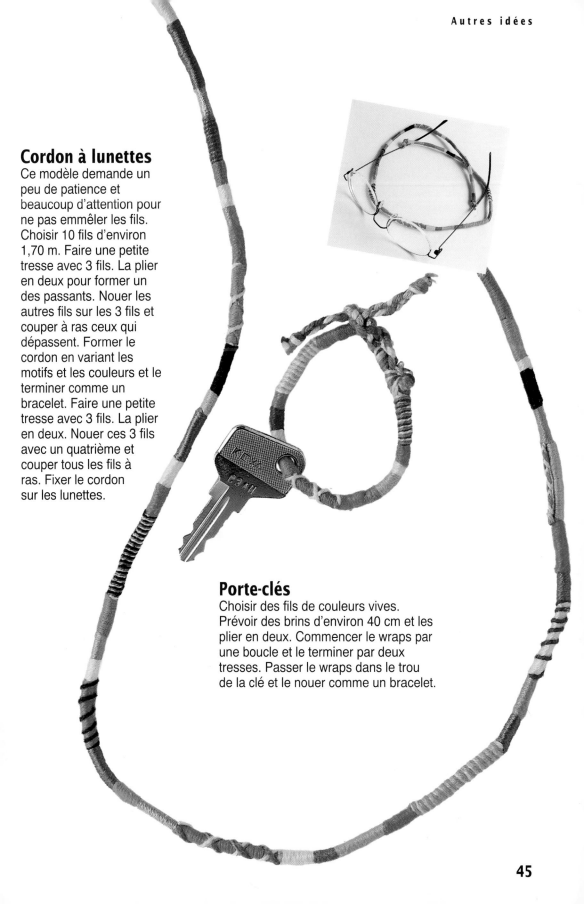

Cordon à lunettes

Ce modèle demande un peu de patience et beaucoup d'attention pour ne pas emmêler les fils. Choisir 10 fils d'environ 1,70 m. Faire une petite tresse avec 3 fils. La plier en deux pour former un des passants. Nouer les autres fils sur les 3 fils et couper à ras ceux qui dépassent. Former le cordon en variant les motifs et les couleurs et le terminer comme un bracelet. Faire une petite tresse avec 3 fils. La plier en deux. Nouer ces 3 fils avec un quatrième et couper tous les fils à ras. Fixer le cordon sur les lunettes.

Porte-clés

Choisir des fils de couleurs vives. Prévoir des brins d'environ 40 cm et les plier en deux. Commencer le wraps par une boucle et le terminer par deux tresses. Passer le wraps dans le trou de la clé et le nouer comme un bracelet.

PERLES DE ROCAILLE FANTAISIE

Christine Hooghe

Matériel et conseils

Les perles

Les perles de rocaille

De toutes les couleurs – opaques, transparentes, nacrées, métallisées, diamantées ou irisées – les perles de rocaille nous enchantent ! Fabriquées industriellement, elles sont faciles à se procurer. Les plus courantes mesurent environ 1 mm de diamètre. On peut les associer à de la « grosse rocaille » : perles de verre d'environ 5 mm de diamètre fabriquées dans les mêmes coloris que les perles de rocaille classiques.

Autres perles

Les perles de rocaille se combinent aisément avec toutes sortes d'autres perles. On peut même les mélanger avec des perles que l'on fabrique soi-même ou des boutons. Il faut veiller toutefois à ce que les perles de rocaille ne soient pas plus petites que les trous des autres perles.

Les fils

Le fil de Nylon convient parfaitement pour la majorité des bijoux en perles de rocaille. Il peut être utilisé en double avec d'autres perles un peu plus lourdes.

Les fils de lin et de polyamide s'utilisent pour des colliers souples ou les projets à fils croisés.

L'élastique très fin est parfait pour fabriquer des petits bracelets ou des ras de cou sans fermoirs.

Le fil de laiton souple doré ou argenté sera utilisé pour les petits modèles. La rigidité de ce fil permet de maintenir le sujet en forme.

Le fil de fer à lier vendu en jardinerie permet de faire des bijoux rigides, bracelets, bagues, etc. Le mieux est d'emporter quelques perles chez le marchand pour vérifier le diamètre du fil de fer avant de l'acheter.

Les aiguilles

Il existe en merceries ou en magasins spécialisés des aiguilles à perles longues et très fines, permettant d'enfiler les perles plus rapidement et plus facilement. Pour rentrer le fil de Nylon plus aisément dans le chas de l'aiguille, écraser l'extrémité du fil entre les incisives.

Les fermoirs

Les fermoirs à ressort ❶ et les petits mousquetons ❷ sont particulièrement adaptés aux perles de rocaille. Les fermoirs à vis ❸ sont à réserver aux colliers car on a besoin des deux mains pour les fermer. Pour les bijoux à plusieurs rangs, on utilise un fermoir multirang à deux ou trois trous ❹, ou des tulipes et un fermoir classique ❺.

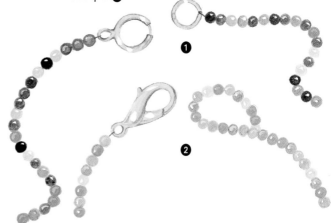

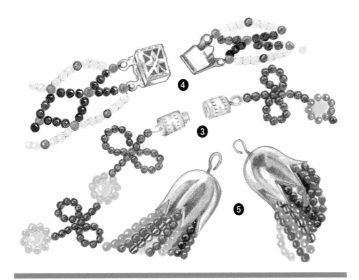

Finitions simples

Faire 3 à 4 nœuds simples les uns sur les autres, couper le fil à ras et déposer une goutte de colle gel ou de vernis à ongles transparent.

Ciseaux et pinces

Les pinces à bijoux, vendues en magasins de loisirs créatifs, permettent à la fois de couper les fils métalliques, de former des anneaux et de poser les perles à écraser.

Les pinces coupantes et les petites pinces plates des électriciens sont aussi parfaitement adaptées.

Attention !
Manipuler toujours les pinces avec précaution.

Les boucles d'oreilles

Elles complètent joliment une parure. Pour cela, prévoir des attaches pour oreilles percées ou non. Pour prévenir les risques d'allergies, on trouve maintenant des attaches en plastique.

Longueur des bijoux terminés

Penser à calculer la longueur des perles à enfiler en fonction du fermoir et des finitions.
Bracelet : 17 à 20 cm
Ras de cou : 40 cm environ
Collier : 50 à 60 cm
Sautoir : 80 cm à 3 m !

Poser une perle de retenue

Bloquer le fil avec une perle permet de tâtonner pour le placement des perles et de définir la longueur avant de poser le fermoir. Placer une perle à quelques centimètres de l'extrémité du fil, et repasser le fil dans le trou de la perle pour la maintenir en place.

Astuce
On peut aussi utiliser un bouton-pression en guise de fermoir.

Poser une perle à écraser

Cela donne une meilleure finition avec le fil de Nylon. Après la dernière perle, enfiler une perle à écraser, passer le fil dans l'anneau du fermoir, puis le repasser dans la perle à écraser et quelques perles suivantes. Tirer pour éviter le jeu entre les perles. Écraser fermement la perle métallique à l'aide de la pince à bijoux. Faire appel éventuellement à quelqu'un de plus fort que soi !

Un peu d'organisation !

S'installer sur une table en plaçant les perles dans des soucoupes posées sur un plateau. Cela permet de rattraper les perles si on les renverse. Un bon éclairage est également important.

Bijoux élastiques

Matériel
- Perles de rocaille : petites, grosses et très grosses,
- fil élastique fin,
- fil de laiton fin,
- boutons fantaisie à pied (facultatif),
- colle gel,
- mètre de couturière.

Bracelets

Prévoir 60 cm de fil élastique et l'utiliser en double. Enfiler 1 grosse perle, puis 16 cm environ de petites perles de rocaille. Finir par 1 grosse puis 1 très grosse perle. Fermer par 2 ou 3 nœuds sans tendre l'élastique complètement. Couper le fil à ras. Déposer une goutte de colle et cacher le nœud dans la plus grosse perle.

Fabriquer un passe-fil

Mesurer et couper 10 cm de fil de laiton. Plier le fil de laiton en deux. Glisser l'extrémité du fil élastique dans ce passe-fil pour pouvoir enfiler les perles plus facilement.

Colliers

Mesurer le tour du cou avec le mètre de couturière. Couper environ 50 cm de fil élastique. Laisser le fil en simple et enfiler les perles en plaçant un bouton au milieu. Fermer le collier par 2 ou 3 nœuds sans trop tendre le fil. Couper à ras et déposer une goutte de colle.

Bagues

Prévoir 30 cm de fil, le plier en double. Enfiler quelques perles. Vérifier la longueur. Enfiler le bouton et fermer comme les colliers.

Tournicoti, tournicoton

Matériel
- Fil de fer à lier
  (voir page 48),
- pince à bijoux,
- clous de jonction,
- perles de rocaille,
- quelques perles
  plus grosses,
- attaches de boucles

Bracelet ressort

1 Enrouler 75 cm de fil de fer autour d'un verre pour former une spirale. Former un anneau avec la pince à l'une des extrémités. Enfiler des perles en laissant environ 1 cm de libre. Former un second anneau.

2 Pour les breloques, enfiler 1 perle de rocaille et 1 grosse perle sur un clou de jonction. Recouper le clou à 1 cm environ. Former un anneau à la pince à bijoux et l'attacher au bracelet avant de le fermer complètement.

Bracelet fermé

Enrouler environ 55 cm de fil de fer autour du manche d'une cuillère en bois. Puis procéder comme pour le bracelet ressort. Maintenir le bracelet fermé par une breloque.

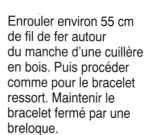

Bague

Prévoir environ 18 cm de fil de fer. Mettre en forme sur le manche d'une cuillère en bois et procéder comme pour le bracelet ressort.

Boucles d'oreilles

Mettre en forme 15 cm de fil de fer autour d'un stylo, puis procéder comme pour le bracelet ressort. Passer l'attache dans l'un des anneaux et fixer une breloque dans l'autre.

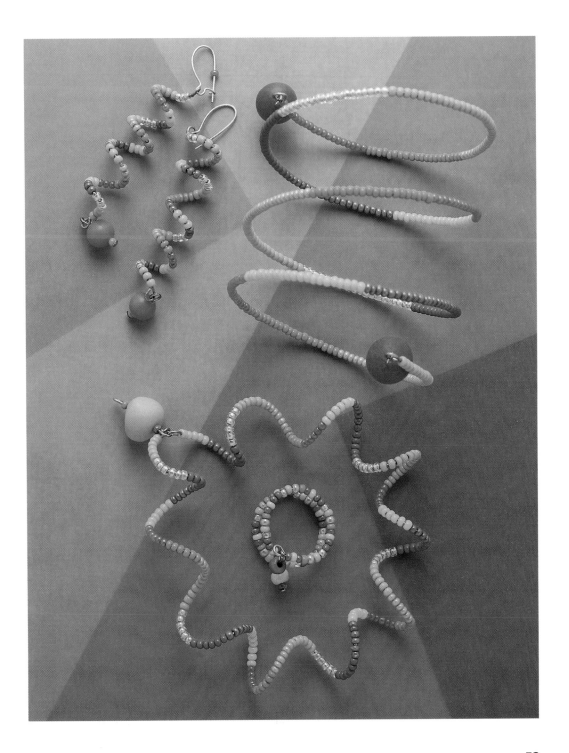

Drapeaux et fanions

Matériel

- 2 m de fil de Nylon par bracelet,
- perles de rocaille,
- fermoirs à ressort ou mousqueton,
- colle gel ou vernis à ongles transparent.

1 Attacher le fermoir au milieu du fil par 2 ou 3 nœuds.

2 Choisir le motif et enfiler les perles selon le schéma. Pour chaque rang, enfiler les perles sur un des fils et repasser l'autre fil dans les perles en sens inverse.
Il faut bien tendre les fils à chaque rang afin que les perles se placent tantôt dessus, tantôt dessous.

3 Lorsque le bracelet a la longueur désirée, attacher l'anneau du fermoir. Pour les drapeaux, finir par des rangs unis en diminuant le nombre de perles, comme au début. Pour faire une boucle de perles, enfiler entre 4 et 9 perles sur chaque fil, puis fermer par 3 nœuds. Consolider les nœuds avec une goutte de colle ou de vernis.

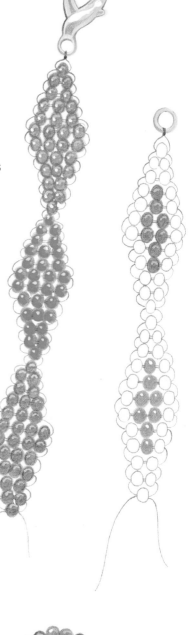

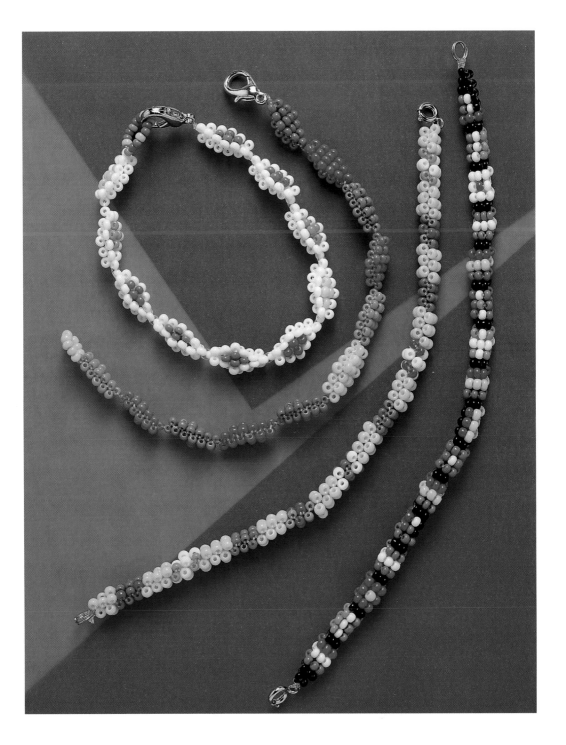

Fleurs des champs

Matériel

- Perles de rocailles :
  petites et grosses
  pour les cœurs,
- fil de lin ou de polyamide,
- fermoirs à ressort
  ou à vis,
- attaches de boucles
  d'oreilles,
- 12 cm de ruban,
- attache de barrette,
- aiguille à perles,
- colle gel ou vernis
  à ongles transparent.

Collier multicolore

1 Préparer une aiguillée d'environ 2 m de fil et nouer un fermoir à 10 cm de l'extrémité du fil.
Enfiler 12 perles vertes et repasser le fil dans la quatrième perle pour former la première feuille. Glisser les perles le plus près possible du fermoir. Pour la seconde feuille, enfiler 9 perles et repasser le fil dans la première. Enfiler 3 perles vertes pour finir la tige.

2 Enfiler 10 perles pour les pétales (ou 8 si leur diamètre est plus gros). Repasser le fil dans la première perle. Glisser les perles le plus près possible des feuilles.

3 Enfiler 1 grosse rocaille jaune pour le cœur et repasser le fil dans le même sens dans la sixième perle (ou la cinquième si on a 8 perles pour les pétales).

4 Continuer le collier jusqu'à la longueur désirée,
en alternant des feuilles et des fleurs
de toutes les couleurs. Finir par des feuilles.
Attacher la deuxième partie du fermoir.
Rentrer les extrémités du fil dans quelques perles
avant de le couper. Renforcer les nœuds
par une goutte de colle ou de vernis.

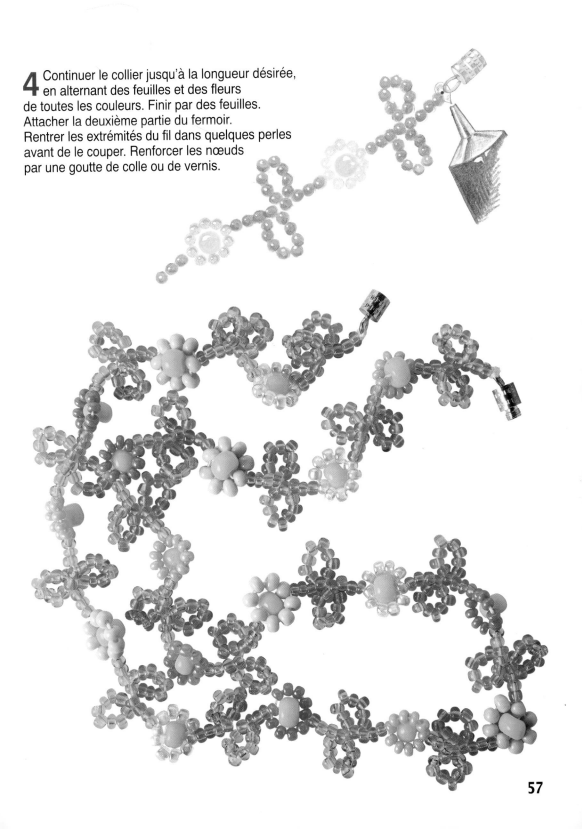

Fleurs des champs

Boucles d'oreilles

1 Prévoir 50 cm de fil.
Poser 1 perle
de retenue (voir page 49).
Enfiler 14 perles vertes
et repasser le fil dans
la sixième perle pour former
la première feuille. Finir
les feuilles et faire la fleur
comme pour le collier
multicolore.

2 Relier la fleur à l'attache
de boucle d'oreille par
plusieurs nœuds. Rentrer
l'extrémité du fil dans
quelques perles et
consolider les nœuds.

Retirer la perle de retenue,
encoller le fil sur 1 cm
et le repasser dans
quelques perles en sautant
la première.

Pour le bracelet bleu,
prévoir 1 m de fil environ.
Alterner des perles opaques
pour les feuilles
et transparentes pour
les fleurs.

Pour le bracelet rose,
les feuilles ont été
remplacées par 3 perles
vertes.

Barrette

Préparer le motif de perles en commençant
et en finissant par une fleur. De chaque côté,
rentrer l'extrémité du fil dans quelques perles.
Replier le ruban à chaque bout et le coller
sur la barrette. Coller le motif en perles
en le centrant sur le ruban.

Colliers à pendentif

Matériel
- 1 m de fil de Nylon par collier,
- perles de rocaille,
- 1 perle goutte par collier,
- quelques perles assorties,
- perles à écraser,
- pince à bijoux.

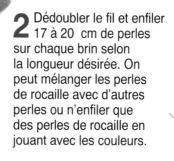

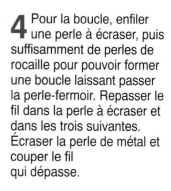

2 Dédoubler le fil et enfiler 17 à 20 cm de perles sur chaque brin selon la longueur désirée. On peut mélanger les perles de rocaille avec d'autres perles ou n'enfiler que des perles de rocaille en jouant avec les couleurs.

1 Enfiler la goutte au milieu du fil de Nylon. Enfiler les perles du pendentif en alternant les perles de rocaille avec d'autres perles sur les deux brins en même temps. Si le trou de la goutte est vertical, enfiler 1 perle de rocaille au milieu puis la goutte sur les deux brins en même temps.

3 Pour les finitions, enfiler sur un des brins 1 perle à écraser, 2 perles de rocaille, 1 perle ronde de 5 à 8 mm de diamètre et 1 perle de rocaille. Repasser le fil en sens inverse en sautant la première perle, jusqu'à la troisième perle après la perle à écraser. Écraser la perle de métal.

4 Pour la boucle, enfiler une perle à écraser, puis suffisamment de perles de rocaille pour pouvoir former une boucle laissant passer la perle-fermoir. Repasser le fil dans la perle à écraser et dans les trois suivantes. Écraser la perle de métal et couper le fil qui dépasse.

Clowns et compagnie

Matériel
- Perles de rocaille,
- fil de Nylon : 1,50 m par personnage, 2 m pour les colliers,
- fermoirs et perles à écraser ou anneau de porte-clés selon les finitions,
- colle gel ou vernis à ongles transparent.

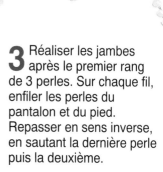

1 Les clowns se réalisent selon la même technique que les drapeaux et les fanions, page 54. Commencer par le bas du corps. Placer la première perle au milieu du fil en passant deux fois le fil par le trou comme pour une perle de retenue.

2 Enfiler sur un des brins les 2 perles du rang suivant (rang de devant), puis repasser l'autre brin dans les perles en sens inverse. Faire le deuxième rang de 2 perles (rang de dos) de la même manière. Continuer ainsi en suivant le schéma. En tendant bien le fil entre chaque rang, les perles se placeront d'elles-mêmes soit devant, soit au dos du personnage.

3 Réaliser les jambes après le premier rang de 3 perles. Sur chaque fil, enfiler les perles du pantalon et du pied. Repasser en sens inverse, en sautant la dernière perle puis la deuxième.

4 Pour les bras, enfiler les perles de la manche, puis 5 perles pour la main. Repasser le fil en sens inverse dans les perles de la manche.

Conseil
Bien tirer sur le fil pour que les bras et les jambes soient le plus près possible du corps.

Clowns et compagnie

Chapeaux

Tous les clowns ne sont pas coiffés pareil. Suivre les schémas pour faire des chapeaux différents.

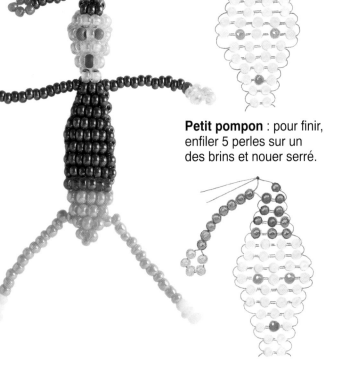

Petit pompon : pour finir, enfiler 5 perles sur un des brins et nouer serré.

Meunier : enfiler la perle du dernier rang du chapeau sur un seul brin. Sur l'autre brin, enfiler 8 perles de la couleur du chapeau puis 5 perles pour le pompon. Repasser le fil dans les huit premières perles, puis nouer les deux brins.

Chapeau à bord : après le premier rang du chapeau, enfiler sur chaque brin 3 perles et repasser le fil en sens inverse en sautant la dernière perle.

Finitions

Faire plusieurs nœuds les uns sur les autres après la dernière perle. Couper à ras et stopper avec une goutte de colle ou de vernis.

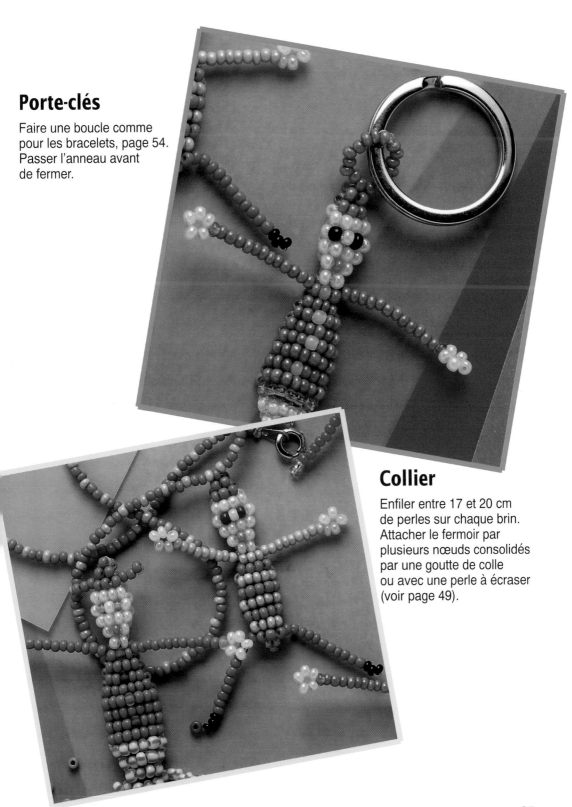

Porte-clés

Faire une boucle comme
pour les bracelets, page 54.
Passer l'anneau avant
de fermer.

Collier

Enfiler entre 17 et 20 cm
de perles sur chaque brin.
Attacher le fermoir par
plusieurs nœuds consolidés
par une goutte de colle
ou avec une perle à écraser
(voir page 49).

Bijoux à modeler

Matériel

- Pâte à modeler colorée à cuire,
- perles de rocaille multicolores,
- 1 trombone « étiré »,
- couteau,
- aiguille et fil à coudre,
- pince à bijoux,

Collier jaune : fil de lin ou de polyamide, 1 anneau métallique.

Collier vert : fil de Nylon, fermoir, 2 perles à écraser.

Broche : 1 attache, 5 clous de jonction, 15 cm de fil de fer.

Bague : 1 monture.

Conseil
Bien réchauffer la pâte dans ses mains pour pouvoir la modeler plus facilement.

Collier jaune

1 Ramollir et étaler de la pâte jaune avec un verre lisse. Marquer un cercle à l'aide d'un petit couvercle ou d'une pièce de monnaie et le découper. Lisser les arêtes avec le doigt.

2 Dessiner un sillon en spirale à l'aide du trombone « étiré » et faire un trou au bord du médaillon.

3 Enfiler 3 à 4 cm de perles sur un fil sans faire de nœud et les incruster dans la pâte en partant du centre. Continuer petit à petit pour remplir complètement le sillon. Tirer doucement sur le fil pour le retirer, ou le recouper aux deux extrémités si cela semble trop difficile.

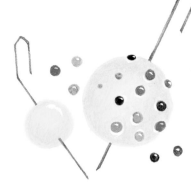

4 Pour les perles, modeler des boules et les percer avec le trombone de part en part. Dans les plus grosses, marquer des trous avec le trombone et y incruster des perles.

5 Demander à un adulte de cuire les éléments au four ménager sur de l'aluminium selon les indications du fabricant. Après refroidissement, équiper le médaillon de l'anneau à l'aide d'une pince à bijoux. Enfiler les perles du collier en alternant perles de rocaille et perles de pâte, et en plaçant le médaillon au milieu. Finir par plusieurs nœuds et une goutte de colle.

Bijoux à modeler

Broche

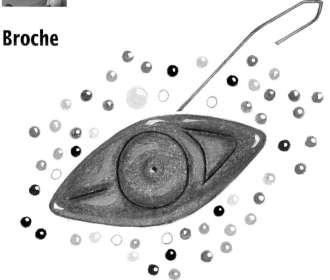

1 Aplatir la pâte, y découper un « œil », lisser les arêtes. Creuser les motifs avec le trombone. Incruster les perles à l'aide d'un fil comme pour le médaillon jaune. Cuire.

2 Avec la pince, « modeler » le fil de fer de façon à former 5 anneaux distants d'environ 1 cm. Replier les extrémités. Coller l'attache et les anneaux au dos de « l'œil » en les faisant dépasser.

3 Enfiler 2 cm de rocaille sur chaque clou de jonction. Recouper à 1 cm après la dernière perle à l'aide de la pince. Attacher les clous à la broche en formant un anneau.

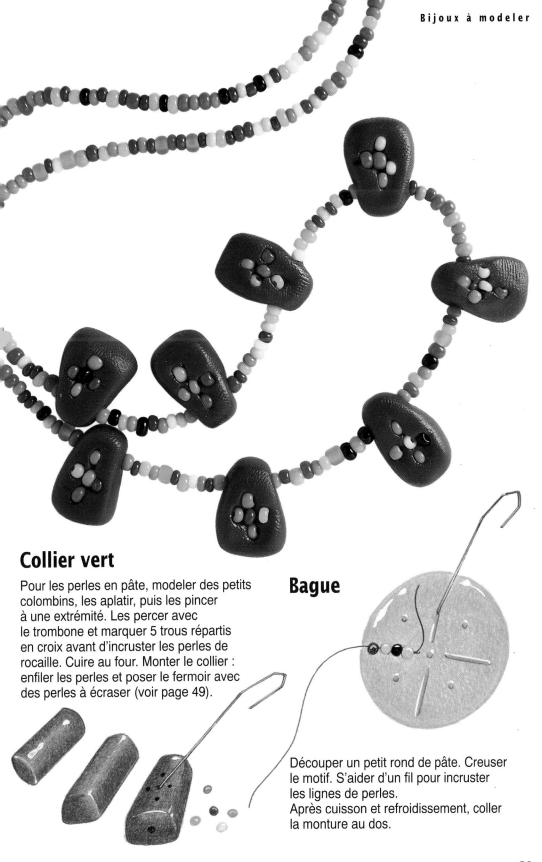

Collier vert

Pour les perles en pâte, modeler des petits colombins, les aplatir, puis les pincer à une extrémité. Les percer avec le trombone et marquer 5 trous répartis en croix avant d'incruster les perles de rocaille. Cuire au four. Monter le collier : enfiler les perles et poser le fermoir avec des perles à écraser (voir page 49).

Bague

Découper un petit rond de pâte. Creuser le motif. S'aider d'un fil pour incruster les lignes de perles.
Après cuisson et refroidissement, coller la monture au dos.

69

Tours de cou romantiques

Matériel

- Perles de rocaille,
- 1,50 m de Nylon par collier,
- 50 cm de ruban,
- colle gel ou vernis à ongles transparent,
- fil et aiguille à coudre.

2 Enfiler 3 perles bleues, 1 rose foncé et 3 bleues avant de former une autre boucle.

3 Lorsque la distance est de 23 cm environ entre la première et la dernière boucle, enfiler 15 perles comme sur le croquis et passer le fil dans la perle rose clair du bas de la boucle. Enfiler 7 perles avant de passer le fil dans la boucle suivante.

1 Poser 1 perle de retenue à une quinzaine de centimètres de l'extrémité du fil (voir page 49). Enfiler 4 perles bleues, 1 rose foncé, 3 bleues. Enfiler ensuite 1 perle rose clair et 3 rose foncé quatre fois, puis repasser le fil dans la première perle rose clair pour former une boucle. Faire glisser la boucle le plus près possible des premières perles.

4 Après la dernière boucle, enfiler 3 perles bleues, 1 rose foncé, 3 bleues. Retirer la perle de retenue. Faire plusieurs nœuds et renforcer avec de la colle ou du vernis.

5 Couper le ruban en deux et le coudre à chaque extrémité.

Variantes

À partir de cette technique, on peut modifier les couleurs, espacer plus les boucles ou insérer des perles un peu plus grosses.

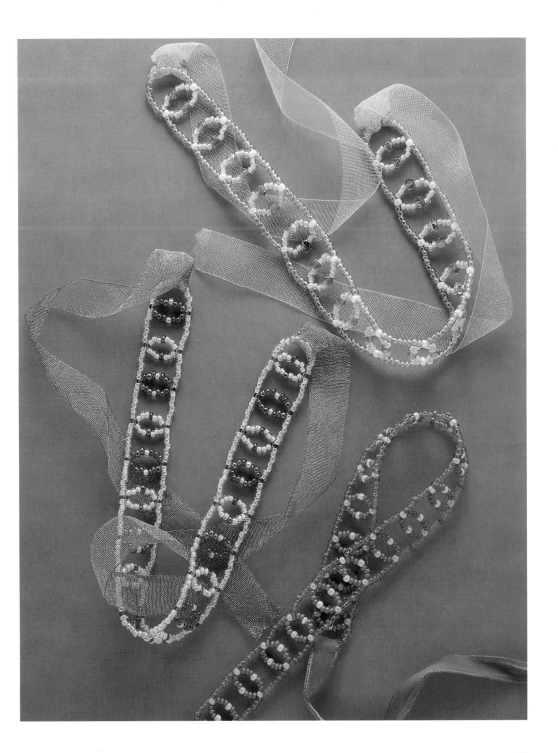

Ronde des poissons

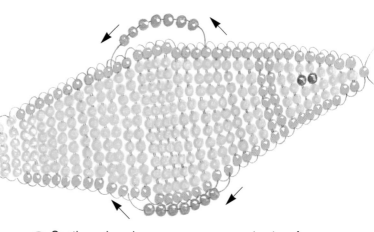

Matériel

- Fil de Nylon : 2 m
  par poisson, 3 m pour
  un collier,
- perles de rocaille,
- colle gel ou vernis
  à ongles transparent.

Pendentif : 1 m de lacet
de coton.

Broche : 1 attache, aiguille
à coudre.

Collier : perles à écraser
et pince à bijoux (facultatif).

2 Continuer le poisson rang par rang selon la même technique que les bracelets, page 54. Enfiler les perles sur un des brins puis repasser l'autre brin en sens inverse. Veiller à bien tendre les fils et à placer les rangs tantôt sur le dessus, tantôt sur le dessous du poisson.

Vue de haut

Vue de face

3 Continuer le poisson jusqu'au deuxième rang de 11 perles, **après** la partie la plus large du corps. Pour une nageoire : enfiler 7 perles sur un des brins et faire entrer le fil à l'intérieur du poisson en le faisant passer entre les rangs de 11 et 12 perles **avant** la partie la plus large du corps. Puis rattraper le fil et le repasser dans la perle à l'extrémité du dernier rang. Faire l'autre nageoire de la même manière.

1 Commencer par la queue. Enfiler 20 perles au milieu du fil. Repasser une des extrémités du fil dans 10 perles. Vérifier que les brins de chaque côté sont de même longueur. Les deux premiers rangs sont faits.

4 Continuer le poisson rang par rang jusqu'au « nez » en suivant le schéma.

Ronde des poissons

Broche

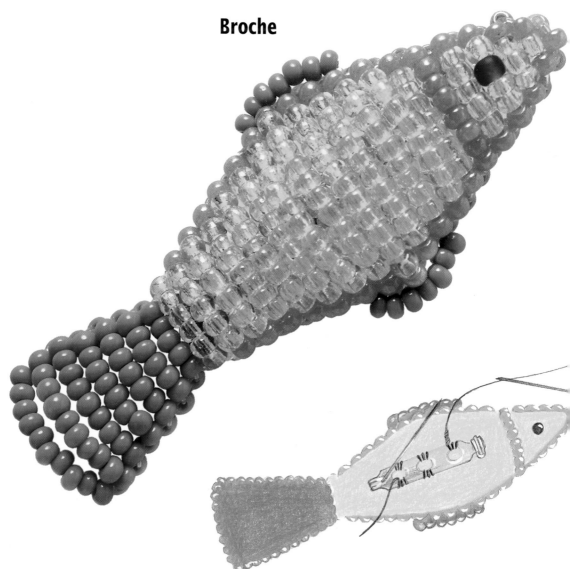

Après le dernier rang, faire 3 nœuds les uns sur les autres.
Enfiler un des fils sur une aiguille. Rentrer ce fil dans
le poisson et le ressortir au dos du poisson. « Coudre »
l'attache sur un côté en passant plusieurs fois le fil dans
les trous de l'attache et sous les rangs de perles. Coudre
l'autre côté de l'attache avec l'autre fil. Arrêter les fils
en les nouant ensemble plusieurs fois. Consolider avec
une goutte de colle ou de vernis.

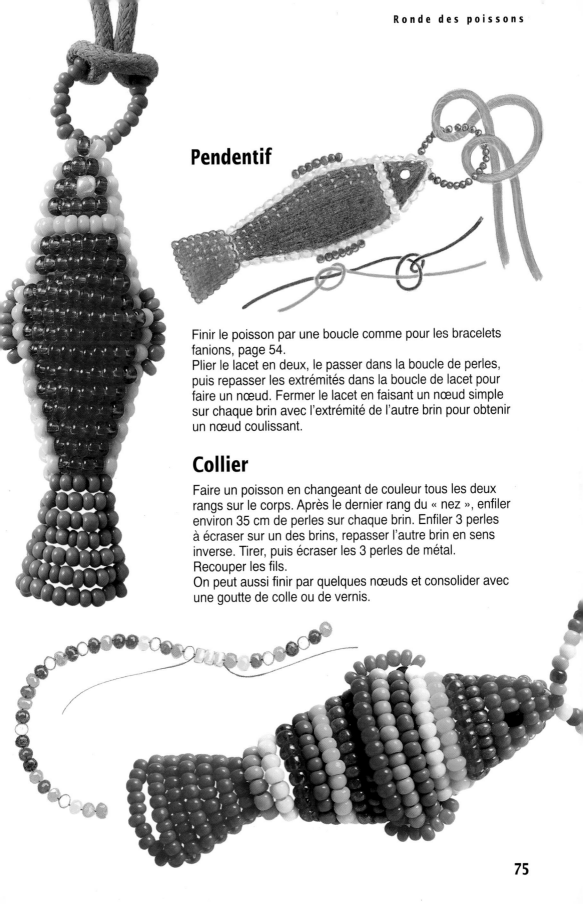

Pendentif

Finir le poisson par une boucle comme pour les bracelets fanions, page 54.

Plier le lacet en deux, le passer dans la boucle de perles, puis repasser les extrémités dans la boucle de lacet pour faire un nœud. Fermer le lacet en faisant un nœud simple sur chaque brin avec l'extrémité de l'autre brin pour obtenir un nœud coulissant.

Collier

Faire un poisson en changeant de couleur tous les deux rangs sur le corps. Après le dernier rang du « nez », enfiler environ 35 cm de perles sur chaque brin. Enfiler 3 perles à écraser sur un des brins, repasser l'autre brin en sens inverse. Tirer, puis écraser les 3 perles de métal.

Recouper les fils.

On peut aussi finir par quelques nœuds et consolider avec une goutte de colle ou de vernis.

Bracelets croisillons

Matériel

- Fil de lin
  ou de polyamide,
- perles de rocaille,
- aiguille à perles,
- fermoirs multirangs
  à 2 ou 3 trous,
- colle ou vernis à ongles
  transparent.

Bracelet bleu

1 Couper 2 brins
de 60 cm. Plier
l'un des brins en deux
et le nouer à une partie
du fermoir dans un des
anneaux.

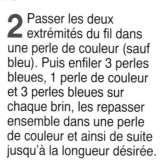

2 Passer les deux
extrémités du fil dans
une perle de couleur (sauf
bleu). Puis enfiler 3 perles
bleues, 1 perle de couleur
et 3 perles bleues sur
chaque brin, les repasser
ensemble dans une perle
de couleur et ainsi de suite
jusqu'à la longueur désirée.

4 Attacher le deuxième
brin comme le premier.
Enfiler 1 perle de couleur
et 3 bleues. Passer le fil
dans la perle de couleur
du rang précédent. Enfiler
à nouveau 7 perles et
passer dans la perle
de couleur du rang
précédent, etc. Finir
le rang par 3 perles bleues
et 1 perle de couleur.

5 Pour le dernier rang,
passer le fil dans
la première perle de
couleur, enfiler 7 perles
et repasser dans la perle
de couleur du rang
précédent. Continuer ainsi
jusqu'au bout. Attacher
les deux brins au fermoir.

3 Nouer plusieurs fois
les deux extrémités
du fil autour d'un des
anneaux de l'autre partie
du fermoir en veillant à la
placer dans le bon sens.

Bracelets larges

Utiliser un fermoir à 3 trous
et nouer le premier brin
dans celui du milieu.

Variantes

On peut jouer avec les
couleurs à l'infini. Faire
un petit schéma aux feutres
pour éviter de se tromper.

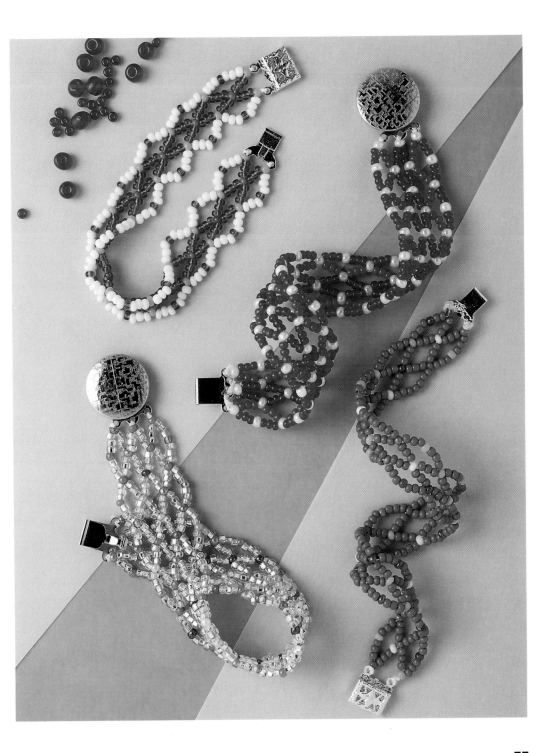

Mers du Sud

Matériel

- Perles de rocaille,
- fil de lin ou de polyamide,
- fil de fer,
- colle gel,
- pince à bijoux,

Collier : 2 grosses tulipes, 1 fermoir à vis.

Bracelet : 2 petites tulipes, 1 fermoir mousqueton, 1 anneau.

Boucles d'oreilles : 2 petites tulipes, 2 boutons fantaisie, 2 perles de grosse rocaille, 1 paire de clips, 1 petite lime métallique.

Collier

1 Couper 14 fils de 70 cm. Enfiler 38 cm de perles d'un même ton de bleu sur chacun d'eux. Varier les bleus le plus possible. Arrêter provisoirement par des perles de retenue (voir page 49).

2 Couper 2 morceaux de fil de fer de 5 cm avec la pince à bijoux. Former un anneau à une des extrémités de chaque tige.

3 Attacher les brins de perles à un des anneaux par quelques nœuds serrés, en enlevant les perles de retenue au fur et à mesure. Quand ils sont tous attachés, couper les fils qui dépassent, encoller et glisser la tulipe sur le fil de fer.

4 Recouper le fil de fer à 1,5 cm. Former un anneau et le passer dans l'anneau du fermoir avant de le fermer complètement. Procéder de la même façon pour l'autre côté.

Bracelet

Il se réalise comme le collier. Couper 7 fils de 50 cm et enfiler 15 cm de perles sur chacun d'eux.

Boucles d'oreilles

Couper 7 brins de 40 cm et enfiler 30 perles argentées et 3 bleues selon le schéma. Attacher les brins comme pour le collier (étapes 2 et 3). Glisser 1 perle de grosse rocaille sur le fil de fer, recouper à 1,5 cm. Attacher au clip en formant un anneau. Couper le pied du bouton avec la partie coupante de la pince à bijoux, limer. Coller le bouton sur le clip.

Parure ethnique

Matériel
- **Perles :** perles de rocaille, perles fantaisie en métal ou plastique doré, petites perles dorées,
- fil de lin ou de polyamide,
- 2 petites tulipes,
- fil de fer,
- colle gel,
- pince à bijoux,
- 1 fermoir mousqueton.

Boucles d'oreilles : fil de Nylon, perles à écraser, attaches.

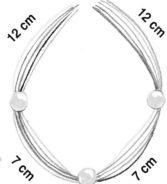

12 cm — 12 cm
7 cm — 7 cm

3 Poser les tulipes et le fermoir comme pour le collier bleu, page 78 (étapes 2 à 4).

Collier

1 Couper 5 brins de 70 cm. Placer une perle de retenue à 15 cm de l'extrémité de chaque brin (voir page 49).

2 Enfiler 12 cm de perles sur chaque brin et passer tous les brins ensemble dans une perle fantaisie. Enfiler 7 cm de perles sur chaque brin avant de les passer ensemble dans la deuxième perle fantaisie. Continuer le collier en respectant les longueurs.

Boucles d'oreilles assorties

1 Couper un fil de Nylon de 30 cm. Enfiler au milieu du fil 4 cm de perles de rocaille en plaçant 1 petite perle dorée au milieu. Passer les deux brins ensemble dans

1 autre perle dorée, 1 perle fantaisie et encore 1 perle dorée. Enfiler 1 cm de perles sur chaque brin, puis 1 petite perle dorée sur un des brins, repasser l'autre brin en sens inverse. Enfiler à nouveau 1 cm de perle sur chaque brin.

2 Finir en passant les deux brins ensemble dans 1 perle dorée, 1 perle de rocaille, 1 perle dorée et 1 perle à écraser. Passer les fils dans l'anneau de l'attache, puis les repasser dans la perle à écraser et les dernières perles. Écraser la perle de métal avec la pince à bijoux.

La paire de boucles d'oreilles aux étoiles se réalise selon le même procédé.

Insectes et papillons

Matériel
- Perles de rocaille,
- fil de laiton,
- épingles de broches de 2 à 3 cm de long,
- pince à bijoux,
- fil de Nylon, fermoirs et perles à écraser pour les colliers.

Scarabée et coccinelle

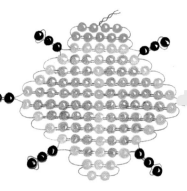

1 Couper 1 m de laiton. Commencer par l'arrière des animaux. Enfiler les perles des premier et deuxième rangs au milieu du fil selon le schéma de l'animal choisi. Repasser une des extrémités du fil dans les perles du deuxième rang.

3 Enfiler la moitié du dernier rang sur chaque brin puis torsader les deux brins ensemble. Enfiler sur les deux fils en même temps une douzaine de perles. Former une boucle et enrouler les fils plusieurs fois à la base de la boucle. Couper. Mettre l'animal en forme avec les pouces.

4 Faire un petit collier tout simple. Attacher le fermoir avec des perles à écraser (page 49). Suspendre le pendentif.

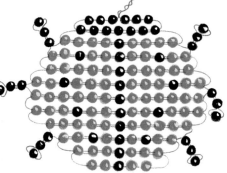

2 Continuer rang par rang en enfilant les perles sur un des fils et en repassant l'autre en sens inverse dans les perles. Bien tirer entre chaque rang en s'aidant de la pince. Pour les pattes, repasser le même fil en sens inverse dans toutes les perles sauf la dernière.

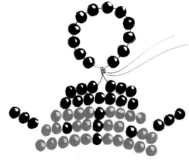

Insectes et papillons

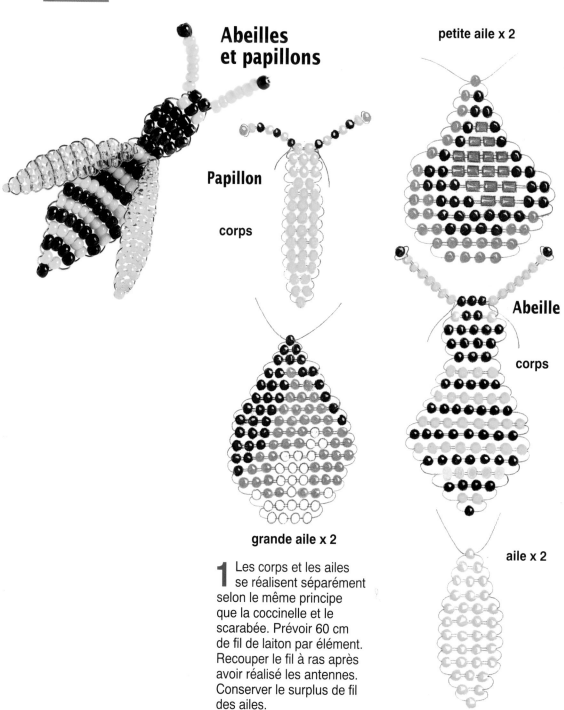

Abeilles et papillons

petite aile x 2

Papillon

corps

Abeille

corps

grande aile x 2

aile x 2

1 Les corps et les ailes se réalisent séparément selon le même principe que la coccinelle et le scarabée. Prévoir 60 cm de fil de laiton par élément. Recouper le fil à ras après avoir réalisé les antennes. Conserver le surplus de fil des ailes.

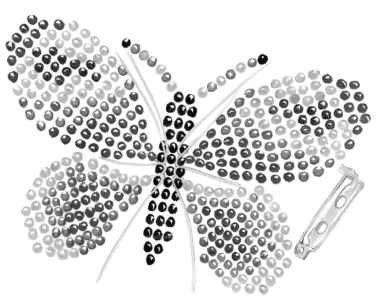

2 Assemblage : piquer les ailes dans le corps, en passant les deux fils d'un même élément de part et d'autre d'un rang. Torsader en serrant bien les fils deux par deux. Passer les fils dans les différents trous de la broche. À l'aide de la pince, torsader les fils à nouveau pour maintenir la broche en place. Recouper à quelques millimètres.

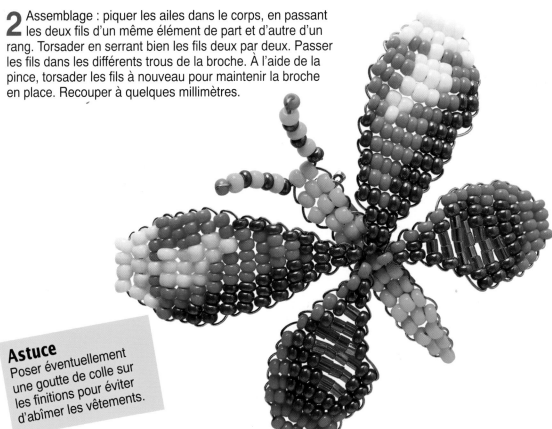

Astuce
Poser éventuellement une goutte de colle sur les finitions pour éviter d'abîmer les vêtements.

SABLE COLORÉ

Maïté Balart

Matériel et conseils

À la portée de tous, le collage de sable coloré est une activité ludique qui permet de décorer une multitude de supports. Le sable en bouteille demande plus de doigté, mais avec un peu de pratique les plus patients créeront des dessins enchanteurs.

Le sable coloré

Le sable coloré existe en plusieurs gammes de couleurs : naturelles, pastel, vives et même fluorescentes. On le trouve dans les magasins de loisirs créatifs en petits pots ou en salières, et en sachets. Nous vous conseillons de récupérer des petits pots pour y transvaser le sable en sachet.

Les collages nécessitent généralement de petites quantités de sable, les bouteilles un peu plus.

Comment s'installer ?

Pour ne pas renverser de sable, il vaut mieux s'installer sur une table dégagée. Disposer les pots devant soi en ligne ou en arc de cercle de façon à pouvoir les attraper facilement. Se servir d'un pot à la fois, le refermer et le remettre en place après usage. Les catastrophes seront ainsi évitées !

Pour saupoudrer du sable sur un objet ou pour remplir une bouteille, se placer toujours au-dessus d'une assiette en carton propre. On pourra ainsi récupérer facilement le surplus de sable ou le sable renversé en pliant l'assiette et en reversant le sable dans son pot.

Collages

Pour les motifs, dessiner directement avec l'embout du bidon. Pour plus de facilité, on peut d'abord dessiner son motif au crayon. Éviter de déposer une trop grosse épaisseur de colle : elle sécherait trop lentement et risquerait de couler.

Sur du polyphane

Le polyphane adhésif se présente sous la forme d'une carte plastifiée translucide. Il suffit de décoller la feuille de protection, puis de saupoudrer le sable. En découpant la feuille de protection et en la recollant à la manière d'un puzzle, on peut créer toutes sortes de motifs.

Avec de la colle

Procéder toujours couleur par couleur.

La colle la plus adaptée est la colle vinylique rapide en bidon.

Sable en bouteille

Saupoudrer le sable sur la colle en se plaçant au-dessus d'une assiette en carton. Récupérer le surplus. Laisser sécher avant de passer à la couleur suivante.

Pour les surfaces importantes, déposer une petite quantité de colle sur l'objet et bien l'étaler avec un pinceau. Après usage, laver le pinceau à l'eau et au savon.

Les bouteilles et les pots de petites tailles sont préférables : ils évitent d'utiliser trop de sable. Il vaut mieux les choisir avec des goulots assez larges car il est plus facile de créer les dessins et de tasser le sable. Les flacons pharmaceutiques, les petits pots de bébé ou à épices peuvent être récupérés. Les laver et bien les sécher avant de les remplir.

Jolie papeterie

Matériel
- sable coloré,
- crayon à papier,
- enveloppes et cartes de couleur,
- colle.

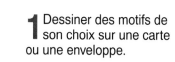

1 Dessiner des motifs de son choix sur une carte ou une enveloppe.

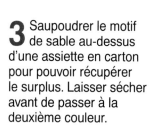

2 Appliquer un filet de colle directement avec l'embout sur tous les motifs qui seront de la même couleur.

3 Saupoudrer le motif de sable au-dessus d'une assiette en carton pour pouvoir récupérer le surplus. Laisser sécher avant de passer à la deuxième couleur.

Mobile marin

Matériel

- sable coloré,
- bristol blanc,
- colle,
- crayon à papier,
- ciseaux,
- 2 allumettes géantes,
- peinture et pinceau,
- raphia naturel,
- perforatrice.

1 Découper dans du bristol 5 bateaux et un poisson (voir page 129). Perforer chaque élément.

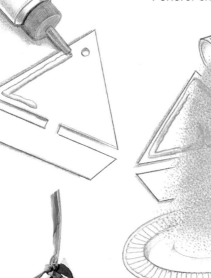

3 Peindre les allumettes. Les laisser sécher. Les attacher en croix avec un morceau de raphia de 60 cm. Relier tous les éléments au mobile par d'autres morceaux de raphia.

2 En procédant couleur par couleur, dessiner les motifs directement avec la colle. Saupoudrer de sable. Laisser sécher avant de passer à la couleur suivante. Coller du sable sur les deux faces de chaque élément.

Astuce

On peut maintenir les allumettes en croix par un point de colle.

Pots mexicains

Matériel

- sable coloré,
- petits pots en terre cuite,
- colle,
- crayon de couleur claire.

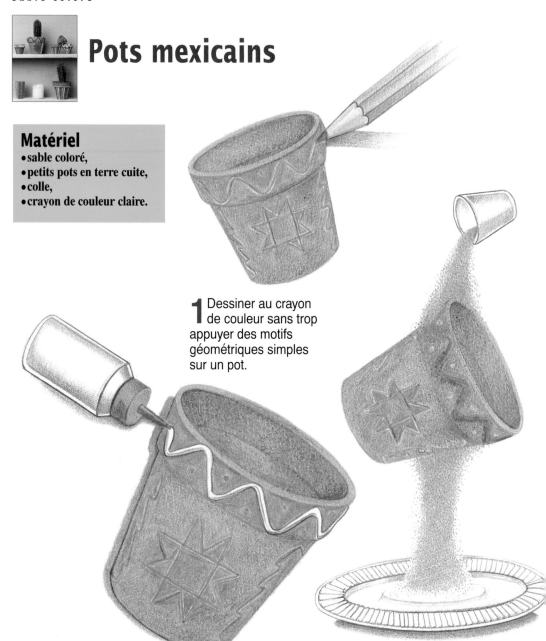

1 Dessiner au crayon de couleur sans trop appuyer des motifs géométriques simples sur un pot.

Conseil

Pour éviter qu'une trop forte humidité ne décolle les décors de sable, réserver ces pots décorés aux cactus.

2 Appliquer un filet de colle sur tous les motifs qui seront de la même couleur.

3 En se plaçant au-dessus d'une assiette en carton, saupoudrer les motifs de sable en tournant le pot pour bien le répartir.

4 Laisser sécher avant de passer à la couleur suivante.

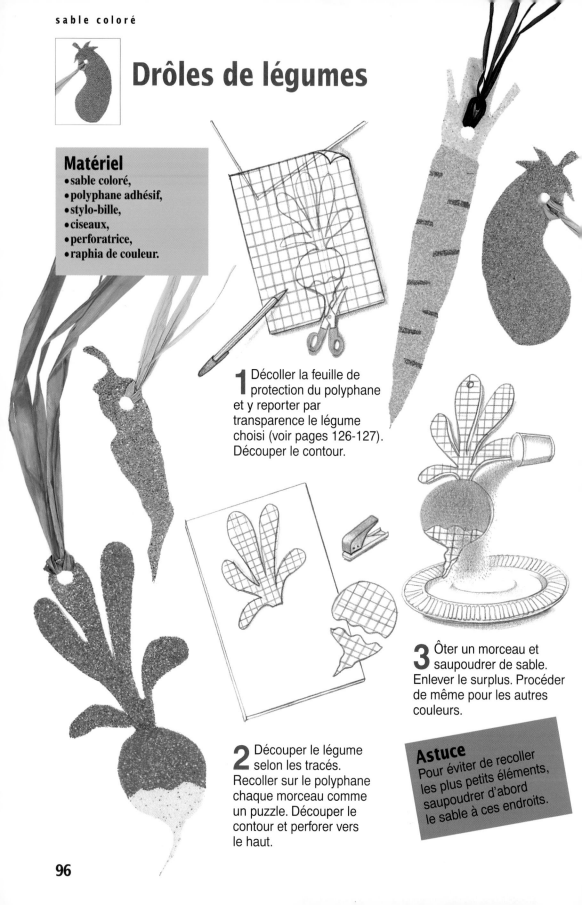

Drôles de légumes

Matériel
- sable coloré,
- polyphane adhésif,
- stylo-bille,
- ciseaux,
- perforatrice,
- raphia de couleur.

1 Décoller la feuille de protection du polyphane et y reporter par transparence le légume choisi (voir pages 126-127). Découper le contour.

2 Découper le légume selon les tracés. Recoller sur le polyphane chaque morceau comme un puzzle. Découper le contour et perforer vers le haut.

3 Ôter un morceau et saupoudrer de sable. Enlever le surplus. Procéder de même pour les autres couleurs.

Astuce
Pour éviter de recoller les plus petits éléments, saupoudrer d'abord le sable à ces endroits.

96

4 Glisser un brin de raphia de 30 cm plié en deux dans le trou et repasser les extrémités dans la boucle.

Carnets ethniques

Matériel

- **carton de récupération,**
- **cutter,**
- **kraft gommé,**
- **raphia naturel,**
- **papier recyclé,**
- **règle graduée,**
- **eau et pinceau,**
- **gros clou,**
- **crayon,**
- **colle,**
- **sable coloré.**

2 Humidifier des bandes de kraft et border les couvertures. Recouper de chaque côté si nécessaire. Ajouter des petites bandes repliées dans les coins.

1 Découper 2 rectangles de carton identiques de 15 x 10 cm ou plus petits. Découper une quinzaine de feuilles légèrement plus petites.

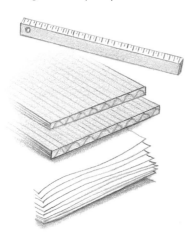

3 Placer les feuilles entre les couvertures. Faire 2 trous avec un clou dans toutes les épaisseurs en même temps. Nouer 2 morceaux de raphia assez lâches.

4 Dessiner un motif au crayon de couleur sans appuyer (voir patrons page 128). Coller le sable couleur par couleur en procédant comme pour la papeterie de la page 90.

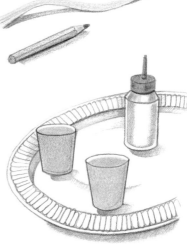

Attention
Le cutter et le clou sont à utiliser par un adulte.

Boîtes à secrets

1 À l'aide d'un pinceau, enduire entièrement le couvercle de la boîte de colle. Placer sa main à l'intérieur pour plus de facilité.

3 Sur le couvercle, dessiner le motif central de son choix directement à la colle. Saupoudrer de sable. Laisser sécher.

2 Saupoudrer le couvercle de sable. Pour le bas de la boîte, procéder comme pour le couvercle. Bien laisser sécher.

4 Dessiner directement à la colle des points ou des traits tout autour du motif. Saupoudrer de sable. Bien laisser sécher.

Cahiers bayadères

Matériel
- sable coloré,
- cahiers ou carnets,
- ruban adhésif double-face,
- ciseaux.

3 Placer le cahier au-dessus d'une assiette en carton et saupoudrer la première couleur de sable. Récupérer le surplus.

1 Coller des bandes juxtaposées de ruban adhésif double-face sur la couverture du cahier.

Astuce
Pour les rayures larges, saupoudrer la même couleur sur deux bandes côte à côte.

2 Décoller la pellicule de protection de certaines bandes sur la première face du cahier.

4 Enlever d'autres pellicules et saupoudrer les autres couleurs au fur et à mesure. Procéder de la même manière pour l'autre face du cahier.

102

Miroirs orientaux

Matériel

- sable coloré,
- carton de récupération,
- cutter,
- colle,
- petit miroir rond,
- kraft gommé,
- eau,
- pinceau.

3 À l'aide d'un pinceau, enduire de colle le carton autour du miroir. Saupoudrer de sable clair en se plaçant au-dessus d'une assiette en carton. Récupérer le surplus. Laisser sécher.

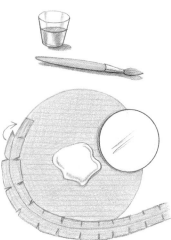

1 Découper au cutter, un rond tracé à l'aide d'une assiette, ou un carré de carton plus grand que le miroir.

2 Coller du kraft gommé tout autour comme pour les carnets de la page 98. Pour le miroir rond, coller une longue bande crantée. Coller le miroir au centre. Laisser sécher.

4 En procédant couleur par couleur, dessiner des motifs directement avec la colle. Saupoudrer de sable. Laisser sécher avant de passer aux motifs d'une autre couleur.

Attention
Le cutter est à manipuler en présence d'un adulte.

Lanternes chinoises

Matériel
- pots de yaourt en verre,
- fil de fer doré,
- pinceau fin,
- colle,
- sable coloré,
- bougies chauffe-plats.

1 Découper 2 morceaux de fil de fer de 60 cm. Entourer le premier autour du col d'un pot, puis le torsader. Faire de même de l'autre côté. Replier les extrémités des torsades et les accrocher l'une à l'autre.

2 En procédant couleur par couleur, « peindre » à la colle des bandes ou des carrés. Saupoudrer de sable au-dessus d'une assiette en carton pour récupérer le surplus. Laisser sécher.

Attention
Ne jamais laisser les bougies allumées sans surveillance.

Astuce
Pour plus de facilité, supprimer les bandes de l'étape 2. Scotcher les motifs reproduits sur du papier à l'intérieur du pot. Les dessiner à la colle par transparence.

3 En s'inspirant des modèles à la fin du livre, dessiner au pinceau les motifs de son choix avec la colle. Saupoudrer de sable et laisser sécher.

Cadres célestes

Matériel

- carton de récupération,
- ciseaux,
- polyphane adhésif,
- colle, scotch,
- sable coloré,
- kraft gommé,
- eau et pinceau,
- attaches à tableaux en toile gommée.

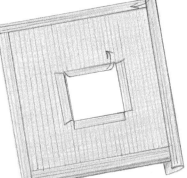

2 Mesurer puis découper un cadre de polyphane de mêmes dimensions. Coller le côté plastifié sur le cadre en carton. Laisser sécher sous un poids.

1 Découper au cutter un carré ou un rectangle de carton de 15 à 25 cm de côté. Découper une fenêtre au centre. Border le carton de kraft gommé (voir page 98).

Attention

Le cutter est à utiliser sous la surveillance d'un adulte.

3 Décoller délicatement la feuille de protection. Saupoudrer de sable de différentes couleurs en formant des bandes juxtaposées. Retirer le surplus. Attention, il ne peut pas être récupéré.

4 Pour les motifs, procéder comme pour les boîtes (voir page 100). Si en séchant les motifs absorbent la couleur du fond, appliquer une deuxième couche de sable sur chaque motif.

5 Scotcher l'image au dos. Coller une attache à tableau en toile gommée.

Œufs de Pâques

Matériel
- sable coloré,
- œufs en styropor,
- brochettes en bois,
- pinceau,
- colle,
- récipient (pot de confiture ou verre haut).

1 Planter un œuf sur une brochette et l'enduire entièrement de colle à l'aide d'un pinceau.

2 Choisir une couleur de sable pour le fond et le saupoudrer sur l'œuf. Récupérer le surplus. Laisser sécher l'œuf, sur sa brochette, dans un récipient.

3 En procédant couleur par couleur, dessiner des motifs simples directement avec la colle : rayures, pois, petits animaux… Saupoudrer de sable. Laisser sécher.

4 Bien laisser sécher les derniers motifs avant d'ôter la brochette.

110

Petits cadeaux

Matériel
- sujets en styropor,
- sable coloré,
- colle,
- pinceau,
- ruban,
- brochettes en bois,
- yeux mobiles,
- récipient (pot de confiture ou verre haut).

Cœurs

1 Planter le cœur à l'envers sur une brochette. L'enduire de colle à l'aide d'un pinceau : sur les deux faces ou sur la moitié de chaque face.

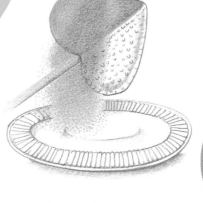

2 Saupoudrer la colle de sable. Récupérer le surplus et laisser sécher sur la brochette dans le récipient. Recouvrir le cœur entièrement.

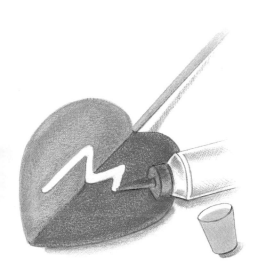

3 Dessiner l'initiale de son choix directement avec la colle. Recouvrir de sable. Laisser sécher.

Animaux

4 Ôter la brochette. Verser une goutte de colle dans le trou et y enfoncer, à l'aide de la brochette, les extrémités d'un ruban de 20 cm.

Coller le sable en procédant couleur par couleur comme pour les cœurs. Laisser sécher entre 2 couleurs. Lorsque l'animal est bien sec, coller 2 yeux mobiles et nouer un ruban autour du cou.

113

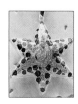

Noël pailleté

Matériel
- sable coloré,
- paillettes en poudre,
- suspensions en plastique transparent en 2 parties,
- colle,
- pinceau fin,
- ruban ou bolduc.

2 Saupoudrer la colle de sable ou de paillettes. Récupérer le surplus. Laisser sécher avant de réaliser les motifs d'une autre couleur.

3 Décorer les deux parties de la suspension en coordonnant les couleurs. Bien laisser sécher avant de la refermer.

4 Passer un morceau de ruban dans le trou. Faire un nœud.

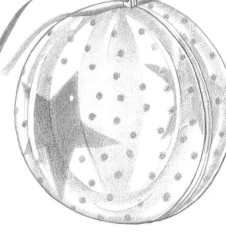

1 Ouvrir une suspension. En procédant couleur par couleur, « peindre » à la colle les motifs de son choix à l'intérieur.

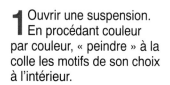

Parade!

Matériel

- petite carcasse d'abat-jour,
- grande feuille de papier,
- sable coloré,
- polyphane adhésif,
- stylo-bille,
- crayon à papier,
- ciseaux,
- ruban,
- perforatrice,
- pinces à linge,
- colle.

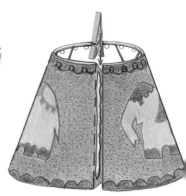

3 En repartant du premier montant, procéder de même pour le cercle du bas. Ajouter 0,5 cm en haut et en bas et une languette de 1,5 cm sur un côté.

6 Enrouler l'abat-jour autour de la carcasse. Coller la languette. Maintenir avec des pinces à linge pendant le séchage.

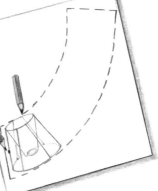

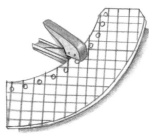

4 Découper le patron, le reporter sur le polyphane. Découper. Perforer le haut.

7 « Coudre » l'abat-jour à la carcasse en passant un morceau de ruban dans les trous. Terminer par un nœud.

1 Marquer un repère sur un des montants de la carcasse. Tracer une ligne verticale sur le papier en appuyant le crayon contre ce montant.

2 Faire tourner la carcasse sur le papier, et avec le crayon, suivre en même temps le cercle du haut, jusqu'au montant avec le repère.

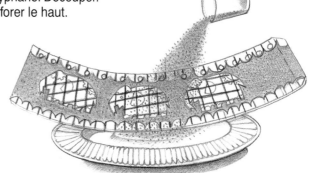

5 Pour les décors, procéder comme pour les marque-pages de la page 96. Les patrons sont à la page 129.

Bouteilles de sable

Matériel
- **bouteilles miniatures ou petits pots en verre,**
- **sable coloré,**
- **brochettes en bois,**
- **allumette géante,**
- **papier et scotch,**
- **bouchon en liège,**
- **bougie.**

2 outils de base

Entonnoir :
Former un petit cône en papier. Le fermer avec du scotch. Couper la pointe.

Pilon : Planter une rondelle de bouchon au bout d'une brochette. Pour les goulots étroits, retailler la rondelle de bouchon.

Couches mouvantes

1 Placer l'entonnoir dans le goulot. Pencher légèrement la bouteille. Faire couler du sable.

2 Incliner la bouteille de l'autre côté. Faire couler du sable d'une autre couleur. Continuer ainsi jusqu'en haut. Tasser à l'aide du pilon. Rajouter un peu de sable si nécessaire. Enfoncer le bouchon.

Créneaux

1 En s'aidant de l'entonnoir, faire couler une première couche de sable dans la bouteille. Tasser. Verser une couche d'une autre couleur. Tasser.

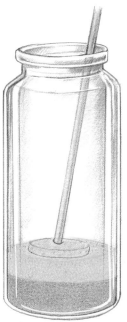

2 Pour des créneaux fins, glisser une brochette le long de la paroi de la bouteille jusque dans la première couche. La retirer doucement : le sable descend dans la première couche. Continuer ainsi jusqu'en haut en tassant entre chaque couche. Enfoncer le bouchon.

Pour des créneaux plus larges, utiliser une allumette géante.

Astuce
Si le pot n'a pas de bouchon, demander à un adulte de faire couler la cire d'une bougie pour le sceller.

119

Paysages en bouteilles

Matériel
- bouteilles miniatures ou petits pots en verre,
- sable coloré,
- brochettes en bois,
- allumette géante,
- fil de fer,
- pilon et entonnoir (voir page 118).

Marche à suivre
Les paysages sont assez délicats à composer. Ils demandent une bonne maîtrise des créneaux expliqués page119.
Les motifs sont formés dans des couches superposées. Verser le sable avec l'entonnoir. Penser toujours à tasser le sable après chaque couche plane.

La mer
Verser une couche de sable bleu. Tasser. Déposer des petites touches de blanc. Selon sa fantaisie, réaliser un ou plusieurs créneaux pour former les vagues. Ajouter une petite couche de sable bleu, puis de jaune.

Les champs et les montagnes
Pour un paysage champêtre, remplir le bas de la bouteille de couches mouvantes (voir page118). Les montagnes sont réalisées de la même façon.

Paysages en bouteilles

Une maison

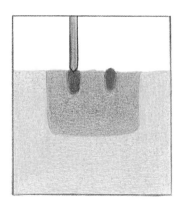

1 Verser une couche de fond, jaune par exemple, de la hauteur des murs à venir. Faire un large créneau avec l'allumette géante.

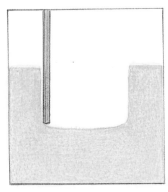

3 Creuser 2 petits créneaux pour les fenêtres et y déposer une touche de sable d'une nouvelle couleur, puis la faire descendre avec la brochette.

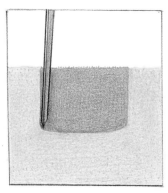

2 Déposer du sable d'une autre couleur dans le créneau. Pousser le sable avec la brochette pour créer un rectangle.

4 Ajouter un peu de sable de la couleur des murs et du fond. Verser un dôme pour le toit. S'aider de la brochette pour former la pointe. Couler autour du toit et au-dessus du sable de la couleur du fond.

Un palmier

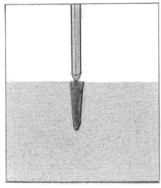

1 Verser une couche de sable pour le fond. Pour le tronc, déposer un petit dôme marron. Le faire descendre dans le fond avec la brochette.

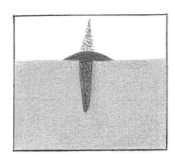

2 Déposer un dôme vert au-dessus du tronc. Le pousser de chaque côté à l'oblique. Pousser doucement à la limite des deux couleurs avec le fil de fer pour simuler les palmes.

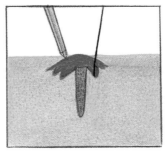

3 Ajouter une couche de fond. Creuser avec la brochette et couler du sable vert. Ajouter, à nouveau, une fine couche de la couleur du fond. Avec la brochette, descendre le sable du fond dans la tache verte pour former 3 autres branches. Finir les palmes avec le fil de fer.

Le ciel

Pour les nuages, procéder comme pour les vagues. Pour les oiseaux, faire un créneau dans une petite touche de sable noir.

Sucré, salé!

Matériel
- sucres en poudre : blanc, roux et de couleur,
- décors en sucre : mimosa, vermicelles, étoiles...
- petits pots de confiture,
- tissus vichy,
- petits élastiques,
- ciseaux cranteurs,
- brochette,
- allumette géante,
- pilon et entonnoir (voir page 118).

Pots de sucre

1 Selon sa fantaisie, déposer des couches de sucre en poudre de différentes couleurs, en intercalant des petits décors en sucre. Réaliser aussi des créneaux ou des couches mouvantes (voir pages 118 et 119).

2 Remplir le pot jusqu'en haut en tassant de temps en temps. Visser le couvercle. Avec des ciseaux cranteurs, découper un rond de tissu plus grand que le couvercle. Le maintenir en place sur le couvercle avec un élastique.

Bouteilles de sels de bain

Matériel

- bouteilles et pots de récupération,
- sels de bain de différentes couleurs,
- entonnoir (voir page 118),
- petite cuillère,
- peinture acrylique,
- pinceau.

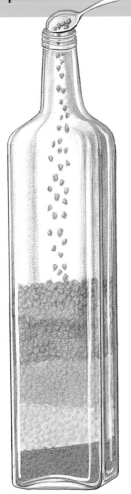

1 À l'aide de la petite cuillère ou d'un entonnoir en papier, réaliser des couches planes ou mouvantes avec les sels de bain. Remplir jusqu'en haut. Tasser.

2 Peindre le bouchon de la bouteille. Plusieurs couches peuvent être nécessaires. Laisser sécher entre chaque couche. Visser le bouchon sur la bouteille.

Patrons

Drôles de légumes page 96

Drôles de légumes page 96

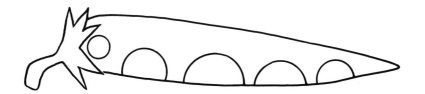

Patrons

Lanternes chinoises
page 106

Carnets ethniques
page 98

128

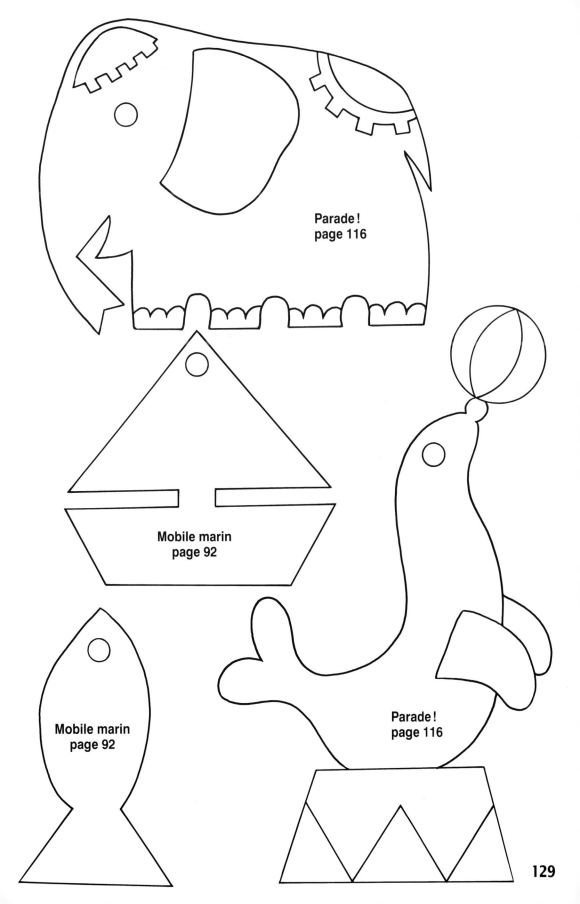

Parade !
page 116

Mobile marin
page 92

Mobile marin
page 92

Parade !
page 116

129

Table des matières

Tresses et bracelets brésiliens

Perles de rocaille fantaisie

Sable coloré

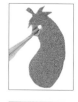